Elle ignora
son air furieux

"Pauvre papa," continua Teri. "Il fallait qu'il soit vraiment aux abois, pour accepter vos conditions... Vous vous conduisez comme un véritable vautour!"

"Vous êtes une sotte pleine de préjugés," lança Damien, "et je ne prendrai pas la peine de vous détromper. Parlons donc simplement affaires. Selon nos accords, au cas où vous ne pourriez me rembourser, tout me revient, au détriment de votre mère, de votre frère, et de vous. Est-ce exact?"

"Pas si je peux l'empêcher," murmura Teri entre ses dents. "Pas s'il existe n'importe quel autre moyen."

"Si vous parlez sincèrement, il y a peut-être une solution." Le visage de Damien s'était détendu; son regard chaud se fit à nouveau séduisant.

"Quelle solution?" demanda-t-elle.

"Vous et moi..."

Dans Collection Harlequin

Flora Kidd
est l'auteur de

ARENES ARDENTES (#50)
AURORE ET SEBASTIAN (#98)
LA FLAMME DU DESIR (#115)
DE LA BELLE AUBE AU TRISTE SOIR (#123)
L'EAU DORMANTE DU SOUVENIR (#136)
QUAND MEURT LA NOSTALGIE (#172)
UN JEU TROP DANGEREUX (#182)
UNE NUIT ET TOUTES LES AUTRES (#200)
A NUL AUTRE PAREIL (#220)

Dans Harlequin Romantique

Flora Kidd
est l'auteur de

LA PANTHERE D'ARGENT (#46)

Ces titres sont disponibles chez votre dépositaire.

EN ECHANGE DE L'OUBLI

Flora Kidd

PARIS • MONTREAL • NEW YORK • TORONTO

Publié en janvier 1982

ISBN 0-373-49234-0

Dépôt légal 1er trimestre 1982
Bibliothèque nationale du Québec et Bibliothèque nationale
du Canada.

Imprimé au Canada—Printed in Canada

1

Un majestueux lustre de cristal illuminait, de ses milliers de facettes chatoyantes, les Amours sculptés qui ornaient le plafond et les panneaux d'acajou des murs. La pièce était luxueuse. Elle avait été, autrefois, l'une des plus belles salles de bal de ce quartier résidentiel de Londres; à présent, les tables de jeu et de roulette avaient remplacé la musique gracieuse des menuets.

La foule était attroupée au centre, juste sous le lustre. Un homme brun, large d'épaules, revêtu d'un élégant smoking, s'approcha. Il marchait avec une lenteur mesurée, les mains dans les poches de son pantalon bien coupé.

Un autre homme fendit la foule dans sa direction, ses yeux gris fulminant de colère.

— Que se passe-t-il? lui demanda le premier.

— Elle ne fait que perdre, et il n'y a pas moyen de l'arrêter. Je l'ai prévenue que je rentrais; cela la fera peut-être réfléchir.

Il s'éloigna. L'homme en smoking se plaça derrière les spectateurs et ses yeux se fixèrent sur une jeune femme, assise de l'autre côté.

Elle attirait immédiatement le regard par une masse de cheveux d'un blond très pâle, presque platine, retenus sur la nuque par un large ruban de velours noir. Les boucles souples de sa chevelure retombaient en flot sur ses épaules nues, d'une blancheur d'albâtre, mises en valeur par les fines bretelles de satin noir de sa robe.

Tout en elle accrochait la lumière; seule une ombre légère soulignait la naissance délicate des seins, dans le décolleté. Son visage était blême. Elle mordillait machinalement ses lèvres au dessin parfait. Sous l'arc des sourcils soigneusement épilés, elle ouvrait d'immenses yeux bleus qui ne quittaient pas le tournoiement rapide de la roulette.

Soudain elle ralentit, et Teri Hayton — la jeune femme — retint sa respiration. La petite boule d'ivoire rebondit sur les bords, d'un chiffre à l'autre, puis s'arrêta avec un claquement sec. Lorsque la roulette fut complètement immobile, le croupier annonça à voix haute le numéro gagnant.

Un cri de victoire jaillit un peu plus loin. Une femme se leva; elle l'emportait, pour la première fois de la soirée. Le râteau poussa vers elle une pile de jetons, et Teri vit disparaître sa dernière mise.

La situation était catastrophique. Elle venait au club depuis une semaine, dans l'espoir de gagner assez d'argent pour rembourser l'énorme dette que son père avait laissée en mourant. Elle y avait englouti toutes ses économies, puis avait dû se résoudre à emprunter des jetons au club lui-même...

Elle rencontra le regard du croupier et haussa les sourcils d'un air interrogatif. Lui permettrait-il de miser encore une fois? Il secoua lentement la tête de droite à gauche : c'était non. Le club ne couvrirait plus ses paris.

Elle parcourut la foule des yeux : Jim était bel et bien parti. Elle se retrouvait seule. Il lui faudrait rentrer à Richmond par ses propres moyens.

Elle se leva et quitta la table en murmurant des excuses. Sa silhouette mince et élancée dominait les autres. Elle gagna le grand escalier de marbre de sa démarche gracieuse, la tête haute. Un léger sourire flottait encore sur ses lèvres; elle s'efforçait de cacher au monde qu'elle était au désespoir.

Elle présenta son ticket au vestiaire et on lui apporta son manteau de soirée, une longue cape de velours noir doublée de satin gris perle. Elle la saisit, et s'apprêtait à la jeter sur ses épaules, lorsqu'une main se tendit pour l'arrêter.

— Permettez-moi, fit une voix masculine.

Interloquée, elle se retourna. L'homme était légèrement plus grand qu'elle, très carré. Il avait le teint mat, une mâchoire volontaire et des yeux sombres, presque noirs, sous des sourcils fournis et bien dessinés. Ses cheveux de jais ondulaient sur un front large, décidé.

— Merci, dit-elle d'un ton hautain.

Il ajusta la cape sur elle. Son visage n'était pas inconnu à Teri; mais elle était incapable de se rappeler où elle l'avait vu.

— Nous sommes-nous déjà rencontrés? demanda-t-elle, tout en agrafant le col de son manteau.

— Oui, répondit-il. Mais nous n'avons pas été présentés.

Il s'exprimait avec une politesse exquise dans un anglais parfait, où elle décelait cependant une légère pointe d'accent étranger.

— Je vous ai regardée jouer, ce soir... et bien d'autres, reprit-il.

Alors, elle se souvint. Elle l'avait effectivement remarqué dans la foule qui se pressait à la table de jeu. Sa sombre silhouette tranchait sur la brillance colorée de l'ensemble. Il paraissait presque diabolique...

Elle lui lança un coup d'œil empreint d'appréhension. Il fallait l'éloigner. Elle prit son air le plus dédaigneux et lança d'une voix glaciale:

— Merci encore. Bonsoir.

Elle se dirigea vers la sortie, remerciant le portier d'un sourire gracieux lorsqu'il tint la porte ouverte pour elle.

Le froid de la nuit la saisit. Elle hésita un moment,

frissonnante, les épaules nues sous le velours. Si seulement elle était rentrée avec Jim! Elle n'avait même plus de quoi s'offrir un taxi.

— Je serais très heureux de vous conduire où vous le souhaitez.

L'homme en smoking était derrière elle. Elle ne l'avait pas vu sortir, ni la suivre à l'extérieur lorsque le portier ouvrait la porte...

Prise d'une panique soudaine, elle dévala les marches avec précipitation, sans regarder, prête à s'enfuir n'importe où. Tout d'un coup, elle trébucha et sentit glisser le talon de sa sandale; elle perdit l'équilibre.

Aussitôt, il fut près d'elle. Il la souleva avec décision et la remit sur ses pieds.

— Il existe un proverbe, murmura-t-il d'une voix moqueuse, selon lequel la fierté précède la chute. Et vous êtes fière, beaucoup trop fière pour reconnaître l'aspect désespéré de votre situation...

— Comment le savez-vous? répliqua-t-elle, dégageant son bras du sien.

Dans cette rue peu éclairée, le visage de l'homme paraissait encore plus diabolique. Elle frissonna.

— Qui êtes-vous? s'exclama-t-elle. Le diable?

Il eut un rire étouffé et railleur qui lui donna la chair de poule.

— En ce moment, je serais plutôt votre ange gardien, lança-t-il. Mon nom est Damien Nikerios. Sans doute l'avez-vous déjà entendu... Je suis venu à Londres pour vous rencontrer. J'attends depuis deux semaines de pouvoir vous parler; tâche bien difficile! Vous vous montrez relativement insaisissable. Or, nous devons discuter...

— Il ne saurait être question d'une quelconque conversation entre nous, monsieur Nikerios. J'ai la ferme intention de vous rembourser intégralement les dettes contractées par mon père. Ne vous inquiétez pas; le diable rentrera dans son bien. Bonsoir.

Elle lui tourna le dos et s'apprêta à reprendre son chemin. Mais il la suivit et se mit à marcher à sa hauteur, à longues enjambées, les mains dans les poches.

— Avez-vous l'intention de rentrer à pied jusqu'à chez vous? fit-il d'un ton léger.

— Non. Je vais prendre le bus, puis le train jusqu'à Richmond.

— Il est très tard... N'avez-vous pas peur? Surtout habillée comme vous l'êtes...

— Que voulez-vous dire? demanda-t-elle en resserrant contre elle les pans de son manteau.

La nuit était glaciale et humide, bien que l'on fût en mars et presque au printemps.

— Votre robe est très séduisante, expliqua-t-il. Je dirais même provocante... Une femme telle que vous, seule, s'expose à des rencontres déplaisantes.

— Ecoutez, monsieur Nikerios, rétorqua-t-elle en détachant nettement ses mots, j'ai toujours vécu dans cette ville, je suis rentrée tard très souvent et je n'ai jamais connu aucune expérience désagréable.

— Il suffit d'une fois. Ma voiture est garée tout près d'ici. Je vous l'ai dit; je serais heureux de vous raccompagner. Cela nous donnerait l'occasion de bavarder. En outre, vous auriez moins froid, et vous seriez plus en sécurité.

— En compagnie de Damien Nikerios? coupa-t-elle avec acidité. J'en doute. Votre réputation en ce qui concerne les femmes...

Il ignora sa réplique.

— Comme vous lui ressemblez, murmura-t-il.

— A qui?

— A Alex... votre père. Fierté, hardiesse, indépendance... C'était un homme merveilleux. J'imagine que vous étiez de véritables amis. Il vous manque, n'est-ce pas?

— Il me manque plus que je ne saurais le dire...

Elle avait répondu spontanément, presque involontairement. Pour la première fois, depuis la mort de son père, une personne étrangère à la famille faisait son éloge. Puis sa maîtrise d'elle-même reprit le dessus. Elle redressa la tête.

— Nous étions très proches, nous nous entendions parfaitement. Je suis d'autant plus étonnée de n'avoir jamais été informée de ses engagements envers vous...

— Je suis en mesure de vous éclairer ; mais pas ici. Si vous ne voulez pas que je vous reconduise, accepterez-vous au moins de dîner avec moi ? Je connais un restaurant peu éloigné. Ensuite, vous pourrez rentrer chez vous.

— Et si je refuse ? questionna Teri d'un air de défi.

— Je prendrai le bus, puis le train avec vous jusqu'à Richmond. Je vous ai enfin abordée ; je ne vous laisserai certainement pas échapper avant d'être parvenu à un arrangement.

— Tout doit se dérouler comme vous l'avez décidé, n'est-ce pas ? persifla-t-elle.

Son ironie n'eut pas l'effet escompté ; transie de froid, elle claquait des dents.

— J'en dirais autant de vous, souligna-t-il.

Elle lutta quelques instants contre son amour-propre. Depuis le début, elle résistait et n'avait rien voulu entendre ; cependant, sous ses airs diaboliques, une sorte de chaude sympathie émanait de Damien Nikerios. En outre, son estomac criait famine et elle mourait de froid.

— D'accord, lança-t-elle brusquement. A une condition : je prends le dernier train.

— C'est promis, assura-t-il. Suivez-moi.

Le restaurant était tout près. En y pénétrant, elle eut une impression étrange dont elle devait toujours se souvenir par la suite ; la chape glacée et humide que la nuit hostile avait fait peser sur ses épaules s'évanouit comme par enchantement. Elle se retrouvait sous le chaud soleil de la Grèce. Les murs étaient blancs, éblouissants ; une lumière mordorée faisait luire douce-

10

ment le sol de céramique. Des icônes et des tapisseries donnaient à l'ensemble une ambiance intime, rehaussée encore par la musique que diffusaient des haut-parleurs invisibles. Un jeune serveur vêtu d'une large blouse blanche, un foulard rouge autour du cou, accueillit Damien tel un vieil ami. Il sourit à Teri comme si elle était l'unique femme du monde, et les conduisit dans une petite salle voûtée.

Teri s'assit avec soulagement et laissa glisser sa cape de velours sur le dossier de sa chaise. Elle observa autour d'elle avec intérêt tandis que son compagnon étudiait le menu.

— Y a-t-il beaucoup d'endroits tels que celui-ci, dans votre pays? interrogea-t-elle.

Il laissa son regard errer quelques instants alentour, puis lui jeta un coup d'œil amusé.

— C'est une assez bonne imitation, admit-il. Probablement plus propre... N'avez-vous jamais visité la Grèce?

— Non. J'aimerais beaucoup voir l'Acropole, Delphes... Vous êtes grec vous-même, n'est-ce pas?

— Aux trois quarts. Mon père était grec; mais le père de ma mère était américain de vieille souche. Il paraît que je lui ressemble...

— Physiquement? s'étonna-t-elle.

— Non; seulement de caractère. Têtu comme une mule, selon le dicton!

Il se moquait de lui-même avec un demi-sourire.

— Qu'aimeriez-vous manger? reprit-il.

— Une omelette, si c'est possible.

— Je vais demander.

Le jeune serveur revenait avec une bouteille de liqueur et deux verres. Le compagnon de Teri lui adressa la parole en grec, et l'autre répondit dans la même langue.

— Il dit que le chef sera enchanté de préparer une omelette pour une aussi jolie jeune femme, traduisit

11

Damien Nikerios, une lueur amusée dans les yeux.

Le jeune Grec quitta la table avec un sourire éblouissant à l'égard de Teri.

— Il me semble que vous avez fait une conquête, murmura Damien.

Il leva son verre.

— Pour que nous fassions plus ample connaissance... ajouta-t-il en guise de souhait.

— Quelle est cette liqueur? demanda-t-elle.

— De l'ouso. C'est à base d'anis.

— Ne risque-t-elle pas de me monter à la tête?

— Essayez, vous verrez, répliqua-t-il, son regard sombre fixé sur elle.

Elle but une gorgée. Le goût, effectivement fortement anisé, était agréable, et ne semblait pas trop rude. Elle picora une ou deux olives et but un peu plus.

— Espériez-vous vraiment gagner assez d'argent à la roulette pour pouvoir me rembourser la dette de votre père? s'enquit-il.

— Oui. C'était une sorte de pari, un risque à prendre...

Bien réchauffée à présent, elle commençait à se détendre et ne craignait plus autant l'homme assis en face d'elle. Il n'avait pas l'air aussi satanique qu'elle l'avait pensé d'abord; son désarroi l'avait conduite à se méprendre.

— Pourquoi? dit-il d'un ton tranchant.

— Il fallait que je tente l'impossible, expliqua-t-elle. Je ne peux pas vous laisser prendre tout ce qui nous reste; la maison de ma mère, les parts de l'entreprise dont nous aurions dû hériter, ma mère, mon frère et moi, si mon père ne vous les avait pas promises comme caution de son emprunt... Sa mort a été un tel choc pour nous...

— Je vous crois, fit-il à voix basse, tout en emplissant à nouveau leurs verres. C'était un accident, n'est-ce pas? Ce fut un coup terrible, pour moi aussi.

12

— Pourquoi n'êtes-vous pas allé à l'enterrement? accusa-t-elle.

— J'ai été mis au courant trop tard, fit-il calmement. Par son notaire. Je suis venu immédiatement. Votre mère était absente... et vous aussi, depuis deux semaines.

— Ma mère est tombée malade, répliqua Teri sur la défensive. A cause du décès, mais aussi à l'idée que tous nos biens allaient vous revenir... Elle s'est réfugiée à Manchester, chez sa sœur.

— Et votre frère?

— Dick? Il est retourné au collège. Il n'a que dix-sept ans, il est pensionnaire.

— Et vous? Où avez-vous passé ces deux semaines?

Le ton autoritaire de sa voix lui déplut. Elle finit son verre en lui jetant un regard froid.

— Chez une amie, laissa-t-elle tomber. Et pas chez le jeune homme que vous avez vu au club, si vous voulez tout savoir. Il m'accompagnait simplement.

— Combien avez-vous perdu au jeu?

— Cela ne vous concerne en rien, rétorqua-t-elle en allumant une cigarette.

— Je peux néanmoins vous le dire; toutes vos économies, plus le millier de livres, fruit de votre emprunt au club...

Elle rougit sous l'effet de la colère.

— Comment le savez-vous?

— Cela n'a pas d'importance, répondit-il. L'essentiel tient en deux mots; vous êtes endettée à votre tour. Vous auriez dû attendre de connaître mes intentions...

— Peut-être, lâcha-t-elle avec insouciance, légèrement grisée par l'ouso. Mais, vous le verrez, je suis trop hardie et indépendante pour dépendre de qui que ce soit...

— Hardie et belle... un mélange étonnant, dit-il en parcourant du regard ses épaules nues et le creux de son décolleté.

Elle sentit un feu la parcourir comme s'il l'avait

touchée. Embarrassée, elle plaça une nouvelle cigarette entre ses lèvres. Aussitôt il tendit la main, s'en saisit et l'écrasa dans le cendrier.

— Que faites-vous? s'exclama-t-elle, furieuse.

— Vous ne m'avez pas demandé l'autorisation de fumer. Je ne supporte pas de manger dans l'odeur de tabac, répondit-il d'un ton froid.

Elle bondit sur ses pieds.

— Dans ce cas, vous pouvez dîner seul! explosa-t-elle.

— Asseyez-vous! ordonna-t-il à voix basse, une lueur menaçante dans les yeux.

— Certainement pas.

— Je ne vous laisserai pas sortir d'ici, dussé-je vous traîner par les cheveux. Je pèse mes mots. Asseyez-vous et tenez-vous correctement.

Personne, songea-t-elle abasourdie, ne lui avait jamais adressé la parole sur ce ton. Tous les membres de sa famille l'adoraient et s'étaient toujours pliés à ses quatre volontés. Elle hésita un moment et le vit prêt à s'élancer, le visage fermé.

Soudain, le jeune serveur surgit près d'elle.

— Ne soyez pas impatiente, Madame, fit-il dans un anglais approximatif. Voilà votre omelette. Elle est juste à point, vous la trouverez délicieuse!

Il posa le plat sur la table avec adresse. Teri avait oublié qu'elle était aussi affamée... Elle reprit place sur son siège, tremblante, au bord de la crise de larmes. C'était la première fois qu'elle cédait à la menace.

Le serveur ouvrit une bouteille et leur versa du vin. La jeune femme s'empara brusquement de sa fourchette et se mit à manger.

— Vous êtes un mufle, dit-elle sans lever les yeux. Je ne m'étais pas trompée. Vos origines grecques vous amènent à traiter les femmes comme des inférieures.

— Je commence à croire qu'Alex ne vous a jamais donné de correction quand vous étiez petite, lança-t-il.

— Heureusement! répliqua-t-elle avec indignation. Il se montrait incapable de choses pareilles. Lui, la bonté même!

— Mmm... plutôt mauvais pour les affaires, la bonté, fit-il négligemment. Comment trouvez-vous l'omelette?

— Excellente, merci, répondit-elle d'un ton guindé.

Ses remarques sardoniques la déconcertaient.

— Comment s'appelle ce que vous mangez? reprit-elle.

— De la *tirotipa*. C'est une sorte de tarte au fromage. Le vin vous plaît?

Elle trempa ses lèvres dans son verre. Elle le trouva à la fois velouté et pétillant.

— Il vient de Corfou, expliqua-t-il. En général, les Anglais l'apprécient beaucoup.

— Il est très bon. Dites-moi, pourquoi mon père vous a-t-il emprunté autant d'argent? Espériez-vous devenir propriétaire de l'entreprise Hayton?

— Je l'ai tiré d'une situation catastrophique, il y a quelques années. Je l'ai aidé à éviter la faillite.

— Racontez-moi.

— Nous nous trouvions à New York; aucune compagnie américaine n'acceptait de le financer. Je me suis alors proposé. Ne vous en a-t-il jamais parlé?

— Jamais.

— Je suppose que vous étiez trop jeune encore...

Il eut soudain un sourire lointain.

— Lorsque je l'ai rencontré pour la première fois, vous deviez avoir à peu près neuf ans, ajouta-t-il. J'en avais moi-même vingt et un. Je me souviens comme il semblait fier de vous : il montrait votre photographie à tout le monde. Une petite fille déjà très belle, aux longs cheveux cendrés...

L'admiration qu'elle pouvait lire dans ses yeux produisait sur elle un effet dévastateur. Ses jambes se dérobaient sous elle. Le désir absurde de tendre la main vers lui, de sentir la sienne se refermer sur son poignet,

15

l'envahissait comme une vague. Elle aurait voulu que leurs bouches se frôlent...

Les lèvres sèches, elle saisit son verre et avala une longue et rafraîchissante gorgée de vin.

— Où était-ce? balbutia-t-elle.

— Chez un archéologue. Il avait fait d'intéressantes trouvailles dans l'île de Skios, qui appartient à mon père et où il réside actuellement. Alex souhaitait publier le compte rendu de ses recherches. Votre père m'a été très utile, à ce moment-là. Par ses conseils, il m'a évité de me conduire comme un idiot...

— En quel sens? s'étonna Teri.

Elle l'imaginait difficilement perdant le contrôle de lui-même.

— Il s'agissait d'une femme, dit-il avec un certain cynisme.

Puis il haussa les épaules.

— N'en parlons plus; c'est de l'histoire ancienne. En tout cas, Alex m'a permis de prendre un bon départ. Je lui en suis toujours resté redevable, et cela m'a fait plaisir d'avoir pu l'aider.

— Une aide pas très désintéressée! souligna-t-elle. Le fils de Stephanos Nikerios ne peut décemment pas prêter de l'argent sans garantie...

Elle ignora délibérément son air furieux.

— Pauvre papa, continua-t-elle. Il fallait qu'il soit vraiment aux abois, pour accepter vos conditions... Vous vous conduisez comme un véritable vautour!

— Vous êtes une sotte pleine de préjugés, lâcha-t-il.

— Non! s'exclama-t-elle avec violence.

— Si. Vous vous êtes formée une opinion définitive sur mon compte; je ne prendrai pas la peine de vous détromper.

Il croisa les bras et se pencha légèrement.

— Alors, parlons simplement affaires, poursuivit-il. Votre père me devait deux cent mille livres. Exact?

Elle hocha la tête sans répondre.

16

— Bien. Selon nos accords, au cas où ses héritiers ne posséderaient pas cette somme, votre maison et la compagnie d'édition me reviennent, au détriment de votre mère, de votre frère et de vous. Exact aussi?

— Pas si je peux l'empêcher, murmura-t-elle entre ses dents.

Elle devait se retenir pour ne pas lui jeter son verre de vin en plein visage. Elle répéta :

— Pas s'il existe n'importe quel autre moyen.

— Parlez-vous sincèrement? interrogea-t-il.

— Naturellement! Je ferai tout pour sauver de la ruine ma mère et mon jeune frère.

Il s'adossa sur sa chaise. Son visage se détendit; son regard chaud se fit à nouveau séduisant.

— Il y a peut-être une solution, dit-il doucement.

Teri remarqua combien sa bouche mobile changeait avec son humeur. Tantôt dure et froide, tantôt sensuelle et pleine d'humour, comme à présent. Elle tenta d'imaginer le contact de cette bouche contre la sienne... Mais à quoi pensait-elle? Le vin capiteux devait agir sur ses nerfs, sur ses sens...

Elle se redressa.

— Quelle solution? demanda-t-elle.

— Vous et moi... pourrions établir un nouveau contrat.

Elle fut aussitôt sur ses gardes; ses oreilles bourdonnaient. Elle se jura que s'il lui offrait d'être sa maîtresse, elle lui lancerait son verre à la figure et partirait sur-le-champ.

— Si vous acceptez de m'épouser, je vous tiendrai quitte de la dette, et je ne prendrai rien à votre mère, ni à votre frère. Les parts de la maison d'édition seront équitablement divisées entre vous trois.

Teri était pétrifiée. Elle le considéra un instant, bouche bée, ayant tout oublié de ses intentions au sujet du verre de vin...

— Vous ne parlez pas sérieusement! parvint-elle à articuler.

— Je suis on ne peut plus sérieux, et tout à fait sobre, ajouta-t-il d'un ton amusé, comme il la voyait jeter un œil hagard vers la bouteille. Ce n'est pas une proposition en l'air, Teri. C'est le seul moyen, pour vous, d'empêcher l'entreprise de sortir de la famille. J'ai encore des parts dans cette affaire; je ne demande aucun dividende... sauf vous.

La jeune femme sentit sa tête tourner follement. Cet homme diabolique venait bien réclamer sa part... Elle but une gorgée. Son attirance pour lui se réveilla. En l'épousant, elle obtiendrait tout ce dont une femme peut rêver : la fortune, le luxe, un certain pouvoir... La tentation était grande, très grande. Pourrait-elle faire face?

— Avez-vous déjà été marié? fit-elle lentement.

— Non. Et vous?

— J'ai failli l'être... il y a deux ans. Mais... il est mort.

Les mots passaient difficilement. Elle avala sa salive et ajouta :

— Dans un accident de voiture. Les deux personnes que j'aimais le plus au monde... je hais les voitures.

Sa voix se brisa. Elle porta la main à ses yeux. Tout autour d'elle semblait pris dans un tourbillon. Les murs se rapprochaient,... la flamme des bougies vacillait, montait et descendait, lançant de brefs reflets sur le visage sombre et grimaçant qui lui faisait face. Son estomac se contractait et un étau enserrait sa tête. Elle se leva avec peine, s'excusa d'une voix inaudible et sortit de la salle.

Elle cherchait aveuglément l'air frais. Comme dans un rêve, elle entendit une voix crier son nom. Elle ne s'arrêta pas, titubant entre les tables.

Elle trouva enfin la porte de la rue. Dehors, elle essaya de respirer profondément, mais le vent glacial lui fit tourner la tête davantage... Un flocon de neige, léger comme une plume, posa sur son bras sa minuscule piqûre d'aiguille. Elle se rendit compte qu'elle était sortie sans manteau sous la neige; elle devait retourner le chercher. Elle recula d'un pas, se heurta à quelqu'un, et soudain un coup d'une violence extrême la frappa sur le crâne. Elle vacilla et s'effondra sur le sol, avec le sentiment terrifiant de sombrer dans un trou sans fond.

2

Le claquement d'une porte qu'on refermait éveilla Teri. Elle ouvrit les yeux. Un soleil cramoisi, rond comme un ballon d'enfant, semblait suspendu derrière l'immense fenêtre. Des traînées de brouillard s'accrochaient aux branches d'un arbre dénudé.

Elle étira paresseusement les jambes. Elle se sentait merveilleusement bien, détendue comme jamais auparavant. Elle cala confortablement derrière sa tête le moelleux oreiller de duvet.

Duvet? Elle fronça les sourcils. Le mot lui rappelait quelque chose. Une petite plume s'échappa de l'oreiller et tomba sur son bras; elle se souvint alors de la neige, du restaurant, de la soirée précédente.

Elle se dressa sur son séant et fixa à nouveau la fenêtre. Il n'y avait aucun arbre chez son amie Shirley, où elle avait dormi les deux semaines précédentes. Or, ici, elle en voyait un...

Elle regarda autour d'elle. La pièce lui était inconnue. L'ameublement était luxueux; de lourds rideaux de velours rose encadraient la fenêtre; un édredon de soie assortie couvrait le lit dans lequel elle se trouvait couchée.

Qui l'avait amenée ici? A l'extérieur, le soleil changeait lentement de couleur. Il pâlissait vers l'orange, et les petits nuages mordorés qui flottaient çà et là devenaient d'un bleu-gris. Bien qu'elle se sentit parfaitement reposée, sa bouche lui paraissait sèche et sa nuque douloureuse. '

Elle souleva la couverture. Elle portait une veste de pyjama d'homme, en satin bleu foncé, qui lui arrivait aux genoux. Elle parcourut encore la pièce du regard, remarqua une vaste penderie ornée de miroirs, une table de style... aucun désordre. A côté d'elle, sur l'oreiller voisin du sien, elle vit un creux que seule une tête pouvait avoir laissé. Un sentiment d'inquiétude l'envahit. Elle avisa soudain un morceau de tissu noir qui dépassait. Elle tira : c'était un autre pyjama. Elle vérifia fébrilement l'étiquette. On pouvait lire, en petites lettres brodées, le nom de D. Nikerios...

La panique la submergea. Elle ne pouvait détacher ses yeux du chiffon de satin noir. Elle ne rêvait pas; elle avait dormi dans le même lit que Damien Nikerios. Et pas seulement dormi...

Elle sursauta. On frappait à la porte. Elle rabattit les couvertures et attendit, le cœur serré. On frappa à nouveau, et une femme d'un certain âge, aux cheveux soigneusement tirés en chignon, fit son entrée. Elle portait un plateau chargé d'une lourde théière en argent et d'une tasse.

La femme déposa le plateau et leva les yeux vers Teri.

— Bonjour, Miss. J'espère que vous vous sentez mieux. M. Nikerios m'a demandé de vous apporter du thé. Aimeriez-vous aussi manger quelque chose? Apparemment, vous avez eu un malaise, hier soir. Des œufs pochés, peut-être...

— Non, je vous remercie. Du moins pas encore. Je prendrai juste du thé, fit la jeune femme avec lassitude. Est-ce que... je veux dire, M. Nikerios est-il ici?

— Oui, en bas, dans le bureau de Sir Arthur. Il téléphone.

La femme fronça les sourcils :

— Etes-vous sûre que vous ne voulez pas déjeuner?

22

Vous semblez bien pâle. Je pourrais vous apporter quelques toasts, cela vous remettrait un peu.

— D'accord, merci.

L'autre hocha la tête avec un sourire approbateur et disparut.

Une fois seule, Teri se souleva à demi, emplit de thé la tasse de porcelaine et se mit à boire en s'adossant avec un soupir. Le liquide brûlant lui faisait un bien infini.

A présent, elle se souvenait de tout. En sortant du restaurant, elle s'était évanouie et avait repris connaissance dans une voiture inconnue. A ses côtés, Damien Nikerios conduisait. Elle aurait aimé savoir où ils se rendaient; mais sa tête lui faisait si mal qu'elle avait gardé le silence. La neige tombait avec abondance, en tourbillons, et le bruit régulier des essuie-glaces lui martelait péniblement les nerfs.

Enfin, la voiture s'était arrêtée. Après avoir ouvert sa portière, Damien l'avait aidée à se mettre debout et guidée jusqu'en haut d'une volée de marches.

Puis, ce fut le vaste hall d'une maison étrangère et un nouvel escalier qu'elle refusait confusément de grimper. D'autorité, il la souleva et la porta dans ses bras.

Elle s'y sentait merveilleusement en sécurité, les mains accrochées à son cou, la tête posée sur son épaule...

Debout dans la chambre, vacillante, elle avait été prise d'une épouvantable nausée.

Elle frémit en se rappelant avoir vomi dans la salle de bains. Constatant sa faiblesse, il avait dû l'aider à se déshabiller et à enfiler l'une de ses vestes de pyjama... Et à nouveau, la sécurité de ses bras et la douceur de se retrouver allongée dans le vaste lit...

Envahie d'angoisse et de solitude, elle l'avait retenu en le voyant faire mine de s'éloigner, et n'avait pas réagi quand il s'était glissé à côté d'elle; bien trop épuisée, elle s'était endormie immédiatement.

Un rêve la poursuivait avec insistance depuis que

David, l'homme qu'elle avait passionnément aimé et devait épouser, était mort. Elle le croyait étendu près d'elle, tendait les bras pour le saisir, mais ne rencontrait que le vide. En général, elle s'éveillait en sursaut, seule, glacée, profondément malheureuse.

Cette fois, ce fut différent. Dans son sommeil, elle prononça à voix haute le nom de David.

— Je m'appelle Damien, murmura quelqu'un contre son oreille, avec un léger rire.

Encore perdue dans son rêve, Teri ne l'avait pas cru. Elle pouvait sentir sous sa main la douce chaleur d'un corps tout proche. Elle se mit à le caresser avec tendresse, explorant un dos large et ferme, une taille souple, un ventre musclé... Des doigts se refermèrent autour de son poignet, et une voix haletante l'interrompit.

— Si vous continuez, je vais devoir vous laisser.

— Non! Je vous en prie, ne m'abandonnez pas, s'entendait-elle encore supplier, l'attirant contre elle. Prenez-moi dans vos bras, ne partez pas!

Elle s'était attendue à ce qu'il disparaisse soudain, comme à l'habitude. Mais il n'en fut rien, et une chaude étreinte l'enveloppa.

— Comme cela? avait-il chuchoté.

— Oui... fit-elle en se lovant contre lui.

C'est alors que, complètement éveillée, elle l'avait reconnu.

— Que faites-vous ici? avait-elle demandé, sans avoir le courage de fuir son étreinte.

— Vous avez insisté pour que je reste...

— Etiez-vous sincère, en affirmant ne pas déshériter ma famille si j'acceptais de vous épouser?

— Tout à fait sincère.

— Je craignais que vous ne me proposiez de devenir votre maîtresse, dit-elle avec un petit rire, tout en se blotissant dans le creux de son épaule.

— Je le savais.

24

— Vous savez toujours tout, n'est-ce pas?

Levant la tête, elle essaya de voir son visage. Il faisait trop sombre.

— Pourquoi me voulez-vous pour femme? ajouta-t-elle.

— Parce que je vous trouve très belle.

Tout en parlant, il suivait légèrement d'un doigt la courbe délicate de ses épaules, s'arrêtant à l'échancrure du pyjama de satin sombre, comme s'il souhaitait l'ouvrir...

— Ce n'est pas une raison suffisante, avait-elle argué.

Elle se sentait fondre dans la douce chaleur qui émanait de lui, son corps presque confondu avec le sien. Tâtonnant dans l'ombre, elle trouva et caressa sa bouche au dessin énigmatique.

— J'aimerais que vous m'embrassiez, fit-elle à voix basse. J'en ai eu envie toute la soirée...

Il avait répondu d'une voix tremblante.

— N'avez-vous pas peur des conséquences?

Il défit le premier bouton de son pyjama et passa sur sa peau fraîche une main brûlante.

— Essayez-vous de me séduire? répliqua-t-elle, la respiration coupée par la vague d'un étrange et violent plaisir.

— Pas plus que vous... Voulez-vous m'épouser?

— Oui, dit-elle dans un souffle. A une simple condition; celle de m'embrasser. Je vous en prie...

Il posa ses lèvres sur les siennes. Elle répondit à son baiser avec une passion croissante, et ils furent emportés dans le voyage sans retour du désir; il les submergeait. Ils plongèrent jusqu'à l'extase dans la montée d'une sensualité tourbillonnante, puis reposèrent enfin dans les bras l'un de l'autre, apaisés.

— Maintenant que je vous ai embrassée, vous serez ma femme, avait-il conclu en riant à nouveau.

— Je vous le promets, avait-elle assuré, bizarrement soulagée, les yeux pleins de larmes.

Teri goûta le thé restant dans la tasse; il était froid. Elle le reposa d'une main encore tremblante puis sauta hors du lit. Elle s'approcha de la fenêtre. Le jardin, cerné de petits murs de briques, était couvert d'une fine couche de neige qui commençait tout juste à fondre sous les rayons du soleil. Elle reconnut un arbre au premier plan : elle l'avait vu en s'éveillant. Plus loin, derrière le mur, s'étendait un vaste parc au nom familier à tout Londonien : Hyde Park.

A qui appartenait cette maison? Peut-être à Damien Nikerios lui-même; avec sa fortune, il pouvait certainement s'en offrir une demi-douzaine dans le monde entier. Le vieux Stephanos, son père, possédait des résidences à Monte-Carlo, en Floride, en Californie... Elle retourna à pas lents vers le lit, s'assit et se resservit un peu de thé. Elle allait le boire quand on frappa.

La gouvernante revenait, apportant cette fois des toasts grillés. Elle tenait sur le bras un déshabillé.

— Vous avez meilleure mine, fit-elle avec un sourire. Je vous ai remonté l'un des déshabillés de Madame.

Elle posa le fin vêtement de dentelle sur le lit.

— A mon avis, il est à votre taille, reprit-elle. Vos bagages auront du retard, m'a expliqué M. Nikerios. Vous n'avez donc rien à mettre ici, à part votre robe de soirée. Malheureusement, j'ai dû l'envoyer au nettoyage. Que puis-je faire pour vous?

— Eh bien... pourriez-vous demander à M. Nikerios de venir me voir?

— Il est parti à son bureau, j'en ai peur. Il sera de retour vers 11 h 30, et vous emmènera déjeuner; il m'a chargée de vous transmettre le message. Espérons que vos vêtements seront arrivés!

— Ah... Dans ce cas, pouvez-vous me donner l'adresse de cette demeure? Nous sommes tout près de Hyde Park, mais je ne connais pas la rue ni le numéro, et j'aimerais que l'une de mes amies passe me voir...

— C'est simplement « Wemsley House », Blakeney

Street. La maison appartient à Sir Arthur Wemsley, le second mari de la mère de M. Damien. Je suis sûre que vous êtes au courant...

— Euh... oui, bien sûr.

Teri sentait le rouge lui monter aux joues.

— Et vous êtes... madame... ajouta-t-elle en balbutiant.

— MacCracken. Esther MacCracken. Je suis la gouvernante, et mon mari est valet de chambre. Je vais vous laisser; si vous souhaitez téléphoner à votre amie, vous pouvez le faire directement de votre chambre.

Elle montrait un téléphone sur la table de nuit.

— Pour m'appeler, poursuivit-elle, la sonnette est ici, derrière le lit. N'hésitez pas.

— Je vous remercie, dit gentiment Teri.

La femme hocha la tête avec un sourire de connivence.

— J'ai hâte de voir la réaction de Madame quand elle apprendra la nouvelle... reprit-elle d'un ton malicieux.

— La nouvelle?

— Pour vous et M. Nikerios. Elle sera si heureuse de savoir qu'il se marie enfin, et surtout à une aussi charmante personne!

Elle sortit sur ces derniers mots. Teri resta pétrifiée, les yeux dans le vide. Puis elle s'empara d'un toast et se mit à mâcher machinalement, assise en tailleur sur le lit. Une colère froide l'envahissait. Damien Nikerios avait fait preuve d'une habileté diabolique; la demander en mariage, juste après l'avoir séduite, alors qu'elle était encore dans les brumes du sommeil et du désir, vaguement amoureuse de lui... Et ensuite, annoncer la nouvelle à la gouvernante!

Tout cela n'était-il pas simplement un nouveau cauchemar? Elle décida d'appeler son amie Shirley.

Celle-ci décrocha après plusieurs minutes.

— Shirley? C'est moi, Teri.

— Enfin! Mais où étais-tu passée?

— Je suis à Londres. Tu connais « Wemsley House »? C'est dans Blakeney Street.

— Attends un peu! J'ai eu plusieurs coups de téléphone, pour toi. D'abord la maison d'édition; ils s'étonnaient que tu ne sois pas à ton bureau, ce matin. Ensuite, ta mère, pour savoir si tu avais rencontré un certain M. Nikerios...

La jeune femme s'interrompit. A l'autre bout du fil, Teri l'entendit parler à quelqu'un.

— Ecoute-moi, Shirley, insista-t-elle en haussant la voix. Il faudrait que tu viennes tout de suite m'apporter des vêtements. J'ai abîmé ma robe de soirée et je n'ai rien d'autre, il m'est impossible de sortir.

— Mon Dieu! Mais que t'est-il arrivé? Quand Jim m'a expliqué t'avoir laissée au club, j'ai commencé à me faire du souci...

— Ne t'inquiète pas, tout va bien. Simplement, j'ai absolument besoin de mon tailleur gris, d'un chemisier et de sous-vêtements. Tu trouveras...

— Excuse-moi une minute. Les jumeaux sont en train de multiplier les bêtises. Sors de là, mon chéri, tu ennuies ta sœur...

La communication fut coupée. Teri raccrocha avec une petite grimace; Shirley était visiblement débordée. Malgré tout, le son de sa voix lui avait fait du bien. Elle reprenait pied avec la réalité.

Elle mordit dans un second toast, s'efforçant de se rappeler le peu qu'elle savait au sujet de Stephanos Nikerios. Avait-il eu deux, trois épouses? Et laquelle était la mère de Damien? En tout cas, il possédait une immense fortune, acquise à force de volonté et d'obstination... Elle fronça les sourcils; Sir Arthur Wemsley, lui, était bien connu en Angleterre. Elle avait vu les photos de son second mariage dans les journaux. Elle entendait encore la voix de son père;

— Tiens, avait-il remarqué, je vois que Sir Arthur vient d'épouser la ravissante Marylin Merrill.

— Tu la connais? s'était étonnée sa femme.

— Pas directement. Elle avait convolé en premières noces avec Stephanos Nikerios, et j'ai rencontré leur fils à Skios, quand je préparais l'édition de ce livre d'archéologie...

— C'est vrai, s'était exclamée Bridget Hayton. Je me souviens, à présent. Elle avait vingt ans de moins que lui, elle aurait pu être sa fille. Elle l'avait épousé pour sa fortune; c'est d'ailleurs ce qui a dû motiver son divorce aussi! Je me demande s'il en est de même avec Sir Arthur...

— Mon Dieu, peut-être fait-elle un mariage d'amour, cette fois, avait-il répliqué d'un ton taquin. Cela, tu l'approuverais certainement beaucoup plus, n'est-ce pas?

Teri avala la dernière bouchée de son toast et se dirigea vers la salle de bains. Bientôt elle se glissa avec délices dans la mousse parfumée. Sa décision était prise : comme la mère de Damien, elle se marierait pour l'argent, afin de résoudre le problème de la dette. Ainsi, la compagnie Hayton resterait dans la famille, et également la maison de Richmond. Elle se rendait compte qu'il lui faudrait refouler son amour-propre, et les idéaux sur l'amour et le mariage dont ses parents lui avaient donné l'exemple... Cela impliquait de marchander avec Damien les conditions de leur contrat. Elle devrait protéger son avenir; étant donné son milieu d'origine, il ne désirerait sûrement pas rester avec elle plus d'un certain temps.

Elle se lava les cheveux avec soin, et se drapa dans une ample serviette de bain vert pâle. Puis elle trouva un sèche-cheveux dans un tiroir, le rangea après l'avoir utilisé et remit la veste de pyjama et le déshabillé.

De retour dans la chambre, elle chercha du regard son sac à main. Il était invisible. S'approchant du lit, elle tira la sonnette puis se dirigea vers la fenêtre.

Le ciel était à présent d'un bleu pur, et une légère

brise chassait les derniers nuages. La neige avait presque entièrement disparu; la journée promettait d'être belle, enfin printanière.

Comme à son habitude, Mme MacCracken fit entendre quelques coups discrets avant d'entrer.

— Auriez-vous vu mon sac, par hasard? demanda Teri. Il est en cuir verni noir, avec un fermoir doré.

— Non, je ne l'ai pas vu. Il n'est pas ici?

— J'ai cherché partout.

— Je suis sûre qu'il n'est pas en bas. Vous l'avez peut-être oublié dans la voiture de M. Nikerios.

— C'est vrai! fit Teri avec soulagement. Il s'y trouve certainement.

La gouvernante emportait le plateau du petit déjeuner.

— Merci infiniment pour le thé et les toasts, ajouta la jeune femme. Ils étaient délicieux.

Mme MacCracken sourit et referma la porte derrière elle. Teri s'assit devant la coiffeuse et s'examina dans le miroir. Sans son sac, il n'était pas question de se maquiller. Cependant, son image était celle d'une fraîche jeune femme, au visage d'un ovale parfait, aux yeux bleu foncé. Elle s'était natté les cheveux après le bain, et cela la faisait paraître infiniment plus jeune que ses vingt-trois ans. Damien avait douze ans de plus; il était certainement beaucoup plus expérimenté en matière de relations amoureuses... Elle-même avait connu David depuis la plus tendre enfance, et il était à peine plus âgé qu'elle. S'il avait vécu, elle aurait des enfants, à présent... mais il s'était tué le jour de leur mariage, et elle n'avait plus jamais été la même.

Elle se mordit la lèvre et retourna à la fenêtre, les mains profondément enfoncées dans les poches du déshabillé. Pas de sac, donc pas de cigarettes pour calmer ses nerfs à vif. Parler à quelqu'un, peut-être... A cette heure-ci, les jumeaux de Shirley devaient avoir fini de déjeuner et regagné leur chambre. Elle revint vers le téléphone et composa le numéro de son amie. Celle-ci répondit aussitôt, comme si elle avait attendu près de l'appareil.

— Dieu merci, tu as rappelé! s'exclama-t-elle. J'ai bien essayé de te joindre, mais on m'a affirmé que j'étais au domicile de M. Nikerios, où l'on ne connaissait pas de Miss Hayton dans la maison...

— A qui as-tu parlé?

— Une dame assez âgée, il me semble. Elle m'a dit être la gouvernante. Teri, je t'en prie, explique-moi ce que tu fais dans cet endroit...

— Je viens de prendre le petit déjeuner, rétorqua Teri avec désinvolture.

— Bon, soupira Shirley. Garde tes secrets si tu préfères. Privilégiée! Tu déjeunes tranquillement au lit pendant que je me bats avec mes deux démons! Ecoute, il m'est vraiment impossible de t'apporter tes vêtements. Je n'ai pas la voiture, aujourd'hui.

— Tu pourrais prendre le train, suggéra l'autre jeune femme.

— Tu me vois voyager avec les jumeaux? Pas question!

— Pourquoi ne les confies-tu pas à la voisine?

— Elle est sortie. Il t'est plus facile d'emprunter de quoi t'habiller à la gouvernante, ou à quelqu'un dans la maison, de façon à pouvoir venir toi-même...

La porte s'ouvrit lentement et Damien apparut, deux grands cartons à la main, sur lesquels Teri put lire le nom d'un couturier célèbre. Il repoussa le battant du pied et s'avança vers le lit.

— Teri? disait Shirley d'une voix anxieuse à l'autre bout du fil. Tu m'entends?

— Oui. Tu as raison, je vais m'arranger. Mais je dois te quitter; à tout à l'heure, Shirley.

Elle raccrocha. Damien Nikerios posa les boîtes sur le lit et lui tendit son sac à main.

— Ainsi, il était bien dans votre voiture, s'écria-t-elle. J'avais si peur de l'avoir perdu!

Elle tira une cigarette, la mit entre ses lèvres et actionna son briquet.

— Je préfère que vous ne fumiez pas ici, fit-il d'une voix froide. En fait, j'aimerais autant que vous ne fumiez pas du tout.

Teri soutint son regard en aspirant une profonde bouffée. La fumée se dissipa en volutes légères. Comme ses yeux étaient durs, songea-t-elle, et méprisant le pli de sa bouche... Il n'y avait plus rien de chaud ni de doux en lui. Il apparaissait sous son vrai jour : un homme implacable et rusé, ne se plaçant jamais en position de faiblesse. Il serait difficile de le vaincre.

— Je fume peu, laissa-t-elle tomber. Et seulement quand je me sens nerveuse.

— Etes-vous nerveuse en ce moment? lança-t-il en haussant les sourcils d'un air dubitatif.

Il parcourait du regard son déshabillé.

— Extrêmement, répondit-elle. Vous le seriez aussi, si vous vous éveilliez soudain dans une chambre inconnue, tous vos vêtements disparus...

— Vous pouvez vous habiller, à présent, dit-il doucement, montrant du doigt les deux boîtes. Je vous ai acheté de quoi vous vêtir.

— Vous n'étiez pas obligé...

— Je sais, coupa-t-il avec une touche d'impatience. Mais je voulais le faire, et j'aimerais voir si cela vous convient. J'ai regardé votre taille sur l'étiquette de votre robe de soirée.

Le dos à la fenêtre, debout dans un rayon de soleil, il semblait plus grand qu'auparavant. Elle remarqua la longueur de ses jambes et l'élégance de sa pose, les mains nonchalamment glissées dans les poches de son costume bien coupé, d'un gris sombre. Il la dominait de toute sa hauteur, semblable au prince des ténèbres qu'elle avait craint en lui la nuit précédente...

— Comment vous sentez-vous ce matin? demanda-t-il sèchement. Votre nervosité mise à part...

— Beaucoup mieux, merci.

Contrariée, elle se sentait rougir au souvenir des attentions qu'il avait eues pour elle.

— Cet « ouzo » ajouté au vin m'a rendu malade. Je ne suis pas habituée aux alcools forts.

Elle tira une nouvelle bouffée de sa cigarette et ajouta en le considérant :

— Vous aviez l'intention de me faire boire, il me semble.

— Moi? Mais dans quel but?

Toute froideur avait soudain disparu de sa voix et de son regard.

— Pour mieux me manipuler.

Il renversa la tête en arrière et éclata d'un rire franc.

— Vous êtes vraiment extraordinaire, fit-il enfin en hochant la tête. Et vous êtes douée d'une imagination débordante. Je n'ai jamais eu le moindre désir de vous enivrer. Je vous croyais simplement plus endurcie, plus expérimentée. J'étais à mille lieux de penser que l'ouzo pût avoir sur vous un tel effet...

Il s'interrompit, et ses yeux se rétrécirent.

— Dites-moi, reprit-il, vous rappelez-vous bien tout ce qui est arrivé cette nuit?

— Je me suis sentie très mal au restaurant. Pensant que l'air frais serait salutaire, je suis sortie : tout s'est mis à tourner, et quelque chose m'a frappée à la tête...

— Quelqu'un, corrigea-t-il. Un voleur. Il s'est ensuite emparé de votre sac. Je l'ai poursuivi et rattrapé un peu plus loin, il a passé la nuit au poste. D'ailleurs, la police aimerait savoir si vous souhaitez porter plainte.

Teri poussa une exclamation. Etudiant la forte carrure et la puissante musculature de Damien Nikerios, elle plaignait presque le malheureux pickpocket. Il avait dû avoir affaire à forte partie.

— Vous devez courir très vite, dit-elle faiblement.

— Pas autant qu'autrefois. De quoi vous souvenez-vous encore? De votre venue ici?

— Vaguement... répondit-elle, fuyant son regard.

Elle rougit encore en poursuivant :

— Vous m'avez déshabillée et mise au lit...

— Rien d'autre?

Tirant une dernière bouffée, elle chercha des yeux un cendrier où écraser sa cigarette. Il alla jusqu'à la coiffeuse et rapporta une coupelle de porcelaine.

— Prenez ceci, ordonna-t-il en la lui tendant.

— Je me rappelle que vous vous êtes couché à côté de moi, reprit-elle du ton le plus neutre possible, sans lever les yeux. Puis je me suis endormie.

Elle posa le cendrier et releva la tête. Son air moqueur la fit frémir.

— Je suis certaine d'avoir dormi, continua-t-elle sur la défensive, parce que j'ai fait un rêve absurde...

— A propos d'un certain David? suggéra-t-il, venant s'asseoir sur le lit à côté d'elle. Qui est-ce?

— Il... Je devais l'épouser, répondit-elle.

Elle se leva, ne pouvant supporter d'être aussi proche de lui.

Elle regagna la fenêtre. Dans le jardin, de minuscules flaques d'eau avaient remplacé la neige, et reflétaient les rayons du soleil comme autant de petites taches argentées.

— Est-ce celui qui est mort dans un accident de voiture? interrogea-t-il.

— Oui, murmura-t-elle, les yeux embués. Pourquoi m'avez-vous amenée ici?

— Vous avez été malade, et agressée, par ma faute; je n'aurais pas dû vous laisser goûter l'ouzo. Il m'était impossible de vous abandonner dans ces conditions, en pleine rue. Je n'avais aucune idée de l'endroit où résidait votre amie; je n'avais donc pas le choix. Ici, chez moi, je vous savais en sécurité.

— Ce n'est pas une raison pour m'installer dans votre chambre, souligna-t-elle.

— Il m'aurait déplu de déranger Mme MacCracken pour lui demander d'en préparer une autre. En outre, il vaut mieux qu'elle ne vous ait pas vue dans l'état où vous étiez...

— En l'admettant, cela ne vous donnait pas le droit de partager mon lit ! accusa-t-elle.

— C'est vrai, j'aurais pu m'en dispenser. Mais je le désirais, et vous m'aviez supplié de rester... je ne suis pas homme à refuser une telle proposition, surtout venant d'une aussi jolie femme...

Teri fit volte-face pour le regarder. Toujours négligemment assis sur le bord du lit, les jambes étendues, les mains dans les poches, il lui lança l'un de ses sourires irrésistibles dont il avait le secret.

— Vous n'avez pas entièrement rêvé, Teri, dit-il avec douceur. C'est réellement arrivé. Vous cherchiez un réconfort, je vous l'ai donné, mais nous voulions plus l'un de l'autre. Alors...

Il sortit les mains de ses poches et eut un geste expressif, tout en haussant les épaules.

Elle resta silencieuse un moment, sans pouvoir détacher ses yeux de son visage. Les souvenirs de la nuit affluaient à son esprit. Puis elle se détourna et fixa à nouveau la fenêtre.

— Vous vous êtes conduit de façon profondément méprisable, dit-elle en détachant nettement ses mots. Vous m'avez séduite.

— Je pourrais vous insulter également, répliqua-t-il en traversant la pièce pour venir vers elle. Mais je ne me le permettrais pas.

Elle sentit soudain le poids de ses mains sur ses épaules, et se dégagea d'un geste vif. Elle le regarda bien en face, l'air glacial.

— Ne soyez pas si bouleversée, murmura-t-il. Il ne s'est rien passé le déplaisant, ni aucune histoire de séduction. Vous le désiriez, je le désirais aussi ; c'est une chose naturelle et très agréable, une chose qui se reproduira souvent lorsque nous serons mariés, je l'espère. Car vous avez promis de m'épouser, vous en souvenez-vous ?

— Oui, et je m'y tiendrai, répondit-elle, évitant ses yeux et s'efforçant d'affermir sa voix. Mais seulement sous certaines conditions....

Elle retourna vers le lit et souleva le couvercle de l'une des boîtes.

— Il faudra, ajouta-t-elle, que nous établissions une sorte de contrat.

Damien ne soufflait mot. Elle lui jeta un coup d'œil ; il semblait avoir pâli... Mais peut-être l'avait-elle imaginé. Après tout, en pleine lumière, son teint paraissait plus clair.

Elle écarta le papier de soie et déplia une robe ravissante. C'était un fin lainage du même bleu que ses yeux, légèrement plissé à partir du col. Sans réfléchir, elle laissa glisser à terre le déshabillé qu'elle portait, ôta la veste de pyjama et enfila la robe. Puis elle revint vers lui et lui présenta son dos.

— Remontez la fermeture à glissière, s'il vous plaît, demanda-t-elle.

Il s'exécuta, effleurant sa nuque de ses doigts. Un frisson sensuel la parcourut, mais elle préféra l'ignorer et se plaça devant le grand miroir de la penderie pour s'examiner.

— Elle est très belle, dit-elle en lissant la robe sur ses hanches. Et de plus, exactement à ma taille. C'est à croire qu'il vous est souvent arrivé...

Elle s'interrompit, troublée par la vision de Damien ayant déjà vécu la même scène avec d'autres femmes.

— ... de choisir des vêtements féminins, lança-t-il en terminant la phrase inachevée, sur un ton sardonique.

Il s'approcha du lit et ouvrit le second carton. Teri ouvrit de grands yeux en voyant soudain surgir, là, dans le miroir, le reflet du superbe manteau de fourrure qu'il lui tendait.

— Essayez celui-ci, suggéra-t-il.

Elle le revêtit; la douceur du vison caressant sa peau lorsqu'elle remonta le col contre son visage lui parut divine. D'un brun doré, il lui allait à la perfection, flattant sa blondeur et la minceur de sa silhouette.

Cette fois, Damien la saisit aux épaules sans lui laisser le temps de s'écarter. Il la fit pivoter, l'observant d'un œil critique.

— Il est d'un bel effet sur vous, commenta-t-il. Mais il y a un détail qui ne va pas... vos nattes.

S'emparant de l'une d'elles, il se mit en devoir de la dénouer.

— Cette coiffure vous donne l'air trop puéril, poursuivit-il. Je n'ai nulle envie d'épouser une femme-enfant. Expliquez-moi maintenant quelle sorte de conditions vous avez à l'esprit. Le fait que je vous épouse, en échange de la remise de votre dette, ne vous suffit donc pas?

Teri éloigna sa main et termina elle-même de dénouer ses cheveux, avec dextérité. Elle secoua la tête et la soyeuse masse blonde se répandit sur ses épaules.

— C'est beaucoup mieux, approuva-t-il. Vous devriez vous coiffer comme hier soir; cela mettait en valeur votre air capricieux ct un peu gâté.

— Je ne suis pas... commença-t-elle.

Puis elle se tut. Inutile d'entamer une discussion; mieux valait relancer la conversation sur les conditions de leur contrat, de façon à obtenir le maximum. Elle le fixa droit dans les yeux.

— Je dois protéger mon avenir, dit-elle nettement. Il peut se produire à un moment donné... que vous ne souhaitiez plus me voir partager votre vie...

Un éclair passa dans ses yeux. Il baissa les paupières, fit une légère grimace et murmura d'une voix presque inaudible :

— Je vois... Vous êtes comme toutes les autres, en fin de compte.

Il lui jeta un regard perçant.

— Vous me mettez, je suppose, dans la catégorie « tel père, tel fils », ajouta-t-il.

— Absolument, répondit-elle avec fermeté, se demandant pourquoi elle se sentait aussi troublée de marchander ainsi avec lui.

Il garda le silence quelques instants, puis enfonça à nouveau ses mains dans ses poches et s'appuya contre la table.

— Tous les termes du contrat seront déterminés par écrit, annonça-t-il avec froideur. Tant que nous serons mariés, je vous verserai une somme conséquente. Dans l'éventualité d'un divorce...

Il fit une pause et prit un air cynique avant de reprendre :

— ... vous serez bénéficiaire d'une pension alimentaire, dont le montant sera évalué en temps utile. C'est bien ce que vous voulez?

— Oui... exactement.

Elle avala sa salive. Comme il était humiliant et dégradant de négocier de cette façon! Mais c'était nécessaire. Après tout, il ne s'agissait pas d'un mariage d'amour. Elle n'avait aucune raison de lui faire confiance.

— Cependant, continua-t-il, je vous demanderai moi aussi d'inclure certaines exigences dans notre contrat.

— Lesquelles?

— Tout d'abord, si nous avons des enfants, c'est moi qui en aurai la garde en cas de séparation. C'est entendu?

— Je...

Elle balbutiait sans pouvoir poursuivre; cette perspective ne lui avait pas traversé l'esprit.

— Vous ne vous y attendiez pas, devina-t-il sèchement.

— Non, admit-elle d'un ton boudeur.

— Vous avez pourtant intérêt à y réfléchir, car cela arrivera probablement. Je ne vous épouse pas seulement sur le papier; je vous préviens, pour vous éviter une désillusion. Vous serez ma femme dans tous les sens du terme, vous vivrez avec moi...

— Mais, mon travail? intervint vivement Teri.

— Quel travail?

— Je suis collaboratrice dans la maison d'édition de mon père, et je ne veux pas abandonner. Il me faut résider à Londres...

— Pas question, fit-il doucement. Mettez-vous en tête de renoncer dorénavant à toute idée de ce genre. Vous habiterez avec moi, à Athènes ou à Skios, dans ma villa.

— Mais...

Elle s'arrêta, prise de cours, cherchant désespérément quel argument lui opposer pour le faire changer d'avis.

— Cela dit, il est encore temps pour vous de refuser ma proposition, remarqua-t-il calmement. Mais attention; si vous ne m'épousez pas, je récupère l'ensemble de la garantie d'Alex...

— Pourquoi ne reviendriez-vous pas vous-même sur votre décision? lança-t-elle d'un ton acerbe, en levant le menton.

Elle se rendait compte qu'elle se heurtait à son entêtement, dont il avait parlé au restaurant. Ses yeux sombres avaient une expression profondément butée.

— Une fois donnée la poussée initiale, je ne modifie plus le cours des événements, rétorqua-t-il.

— Même si cela risque de vous mener à la catastrophe? s'enquit-elle.

A sa grande surprise, il éclata de rire.

— Vous êtes bien pessimiste, répondit-il. Notre mariage ne sera pas un désastre! Mais vous n'avez pas répondu à ma question : acceptez-vous notre contrat? Ou bien dois-je me rendre aujourd'hui même chez le notaire de votre père, et lui réclamer la maison de Richmond et les parts d'Alex dans l'entreprise?

— Vous faut-il ma réponse tout de suite? demanda-t-elle en désespoir de cause.

— Oui.

Elle passa mentalement en revue les autres alternatives. Aucune n'était satisfaisante.

— Je l'accepte, fit-elle enfin, avec le sentiment de jouer ses derniers atouts et de lancer le plus risqué des paris.

Elle trouverait plus tard un moyen de le circonvenir. Elle en était sûre. Il existait des systèmes pour ne pas avoir d'enfant. Peu à peu, il se lasserait d'elle et elle pourrait alors reprendre son emploi. Le principal, pour le moment, était d'obtenir qu'il renonce à ses prétentions sur la fortune familiale.

— Quand l'établirons-nous? reprit-elle.

— Le plus tôt sera le mieux, n'est-ce pas? dit-il avec ironie, comme s'il lisait encore une fois dans ses pensées. Eh bien, dans une semaine. Cela laissera aux avocats le temps de rédiger ce contrat et d'obtenir une licence de mariage. Cela vous convient?

— Très bien...

— En outre, cela vous permettra de contacter votre mère. Naturellement, vous aimeriez qu'elle soit présente à la cérémonie...

— Non. Je préfère la laisser dans l'ignorance des événements actuels, murmura-t-elle.

Sans lui laisser le temps de s'étonner, elle poursuivit :

— Allez-vous inviter votre propre famille?

— Mon père est trop âgé pour un aussi long voyage, et ma mère ne sera pas encore de retour. Je propose que nous nous rendions à Skios, le mariage accompli. Nous y resterons quelque temps; je vous présenterai à mon père ainsi qu'au reste de ma parenté.

Damien se dirigea vers la porte.

— Il est presque l'heure du déjeuner, annonça-t-il.

40

Quand vous serez prête, rejoignez-moi en bas; nous irons manger, et ensuite nous verrons les avocats.

Il sortit et referma derrière lui.

Teri se laissa tomber sur le lit, envahie d'un étrange sentiment de lassitude. Elle avait réussi; elle s'était défendue pied à pied, et lui avait extorqué des garanties. Elle aurait dû exulter de joie devant cette victoire, mais il n'en était rien. Elle sentait confusément qu'elle avait perdu quelque chose, quelque chose qui ressemblait à l'estime de Damien Nikerios. N'allait-il pas, à présent, la mépriser?

3

Comme simplement posée sur une mer pourpre, auréolée de l'or cramoisi du soleil couchant, l'île de Skios apparut dans le lointain, sombre et mystérieuse. Teri se tenait debout à l'avant du bateau de Stephanos Nikerios, si droite et calme que nul n'aurait pu percer à jour les violentes émotions qui l'agitaient.

Le matin même, elle avait délibérément modifié le cours de son existence en se liant à un homme riche et puissant. A présent, elle allait à la rencontre d'un autre homme tout aussi fortuné...

Ses mains se crispèrent sur la rambarde. A l'un de ses doigts, un large anneau d'or accrochait la lumière. Elle y jeta un coup d'œil avec un frisson de malaise. Qu'avait-elle fait? En devenant la femme de Damien, elle rompait définitivement avec tout ce qu'elle avait connu jusqu'à présent : pays, amis, et surtout liens familiaux...

Sa bouche frémit au souvenir de la réaction de sa mère. Elle l'avait appelée de l'aéroport et lui avait tout expliqué, s'efforçant de lui faire comprendre les motivations de son acte.

— Tu aurais dû m'en parler avant! s'exclama Bridget. Pourquoi ne pas l'avoir dit?

— Parce que tu aurais tout tenté pour m'arrêter, répliqua Teri. Tous nos biens lui seraient revenus. Je ne pouvais pas l'accepter. Cela revenait à vous ruiner!

— Il y avait certainement d'autres solutions, fit sa mère d'un ton de reproche.

— Non. C'était le mariage ou la faillite. Il s'est montré absolument inflexible.

— Mais réfléchis, Teri ; épouser ainsi, de sang-froid, un homme que tu ne connais même pas ! Je n'arrive pas à croire...

— Cela n'a pas été facile, mais je m'y suis résolue. Nous avons signé un document protégeant mes intérêts pour l'avenir.

— Oh non, pas ça ! gémit Mme Hayton. C'est exactement ce que cette horrible femme avait exigé, en se mariant avec Stephanos Nikerios. Je parle de la mère de Damien. Auparavant, elle était chanteuse dans un night-club... Mon Dieu, Teri, tu te conduis absolument comme elle ! Qu'est-ce que ton père aurait pensé ?

— S'il avait mieux dirigé son entreprise... commença un peu vivement la jeune femme.

Elle regretta aussitôt de critiquer son père bien-aimé.

— Maman, reprit-elle, essaie de comprendre, de ne pas trop m'en vouloir... Je l'ai fait pour toi et Dick. Tout finira par s'arranger, je te le promets. Je t'ai envoyé une lettre, et tu vas en recevoir une autre du notaire, certifiant que la dette est annulée. Je dois partir, maintenant ; je prends l'avion pour la Grèce. Quand tu auras surmonté le choc d'avoir un Nikerios pour gendre, tu pourras venir passer des vacances à Skios. Tu t'y plairas, c'est une île magnifique. Il y possède une villa, près de celle de son père, et...

— Jamais ! s'écria fermement sa mère.

— Que veux-tu dire ? interrogea Teri d'une voix haletante, tandis que Damien, de loin, lui faisait signe de se presser.

— Je ne viendrai jamais, répéta Bridget avec une agitation croissante. Je ne veux pas les rencontrer. Ni toi non plus, tant que tu seras mariée à un tel individu...

Elle fondit en larmes.

44

— Quand je pense que tu aimais tellement David...
reprit-elle d'une voix entrecoupée. Comment as-tu pu
commettre une chose pareille? Te marier pour l'argent,
sans amour...

— Je ne sais pas, répondit Teri d'une voix neutre,
dissimulant à quel point elle était blessée. Je dois te
quitter, maintenant. L'avion attend. Au revoir, maman.
Et s'il te plaît... essaie de comprendre...

Damien ne l'avait pas interrogée sur sa conversation
avec sa mère. Il s'était montré froid et distant, comme
tourmenté par quelque conflit intérieur. Elle-même avait
gardé le silence pendant tout le vol, accablée de chagrin.

Ce fut seulement à l'arrivée à Athènes, alors qu'ils
roulaient dans les ruelles tortueuses pour rejoindre le
port du Pirée, qu'elle s'était animée un peu, émerveillée
par ce qu'elle voyait. L'Acropole, sur son rocher, brillait
au soleil, dressant fièrement la grâce antique de ses
colonnes...

Le ronronnement des moteurs s'affaiblit. Le bateau
pénétrait lentement dans un port minuscule. La nuit
était presque tombée. Teri distingua dans la pénombre
les ailes d'un moulin et les ruines d'un fort, mauve
contre le bleu sombre du ciel. Les cubes blancs des
maisons s'étageaient sur le flanc de la colline, à peine
visibles.

Le yacht fut mis à l'ancre dans les cris et les rires.
Damien s'approcha. Mal à l'aise, elle s'éloigna légèrement. Elle se sentait pleine de ressentiment envers lui, et
furieuse contre elle-même de s'apercevoir qu'il la trou-
blait toujours profondément... Toute la semaine, il
s'était montré extrêmement lointain, au point qu'elle
s'était demandée plusieurs fois s'il n'allait pas revenir
sur sa décision.

— Etes-vous prête à descendre à terre? dit-il derrière
elle.

Elle se retourna et fit un signe d'assentiment.

— Vous êtes très pâle, ajouta-t-il en se penchant. Fatiguée?

— J'ai le teint naturellement pâle, rétorqua-t-elle en se dirigeant vers la passerelle qu'on venait d'installer.

— Comme l'air embaume, murmura-t-elle en inhalant profondément. Il y a des pins, n'est-ce pas? Mais je distingue d'autres odeurs... Qu'est-ce qui pousse sur cette île?

— Des oliviers, des figuiers, des orangers, des citronniers et des vignes, répondit-il presque mécaniquement. Egalement des fleurs sauvages, en grand nombre.

Il la dépassa et l'attendit au bas de la passerelle pour l'aider à descendre.

Des flots de musique coulaient de la porte ouverte d'une *taverna*. Alors que Damien ramenait vers elle une carriole à cheval, des voix l'interpellèrent. Il lança quelques mots en grec, aussitôt suivis dans la foule d'exclamations et de battements de mains.

— Que se passe-t-il? interrogea Teri, frustrée de ne pas comprendre.

— Ils demandaient le nom de cette femme aux cheveux d'argent, répliqua-t-il d'un ton amusé, tout en la faisant grimper dans la carriole. Je leur ai expliqué que nous sommes mariés depuis ce matin. Ils vous félicitent et vous souhaitent la bienvenue.

— Je suis surprise de trouver cet endroit ainsi habité, remarqua-t-elle. Je pensais que votre père le possédait entièrement.

— C'est exact, il l'a acheté. Mais cela ne lui donne pas le droit de chasser des familles installées ici depuis plusieurs générations.

Il prit place à côté d'elle, donna un ordre bref et l'attelage s'ébranla.

— Ici, les voitures sont interdites, poursuivit-il. On peut utiliser des mobylettes, quelques camionnettes de livraison, et un bus; outre, naturellement, les carrioles.

46

Mais l'île n'est pas grande, on peut la parcourir à pied. Avez-vous assez chaud ?

— Oui, merci.

Ils s'engagèrent sur une petite route ombragée de pins qui longeait la mer. Çà et là, on distinguait le bleu presque noir de l'eau. Les étoiles s'allumaient une à une.

Damien posa soudain une main sur celle de la jeune femme.

— Vous êtes glacée, fit-il à voix basse.

Il passa le bras autour de son épaule.

— Bien sûr, peut-être êtes-vous toujours froide, de même que toujours pâle... ajouta-t-il d'un air moqueur.

C'était la première fois qu'il la touchait depuis cette nuit où ils avaient fait l'amour, plus d'une semaine auparavant. Elle reconnut le frisson sensuel qui l'envahissait au contact de ses tendres caresses. Ses nerfs frémissaient, et sur sa peau couraient de minuscules étincelles de désir...

Effrayée de se sentir embrasée par la passion, et craignant de perdre tout contrôle d'elle-même, elle ferma le poing et retira doucement sa main. Il ne bougea pas la sienne, enserrant son genou avec fermeté.

Avec un léger soupir, elle tenta alors de croiser les jambes. Ce fut peine perdue ; il se mit à jouer avec les boucles blondes de ses cheveux...

Elle s'éloigna encore et lui tourna le dos, fixant la mer.

— Il fait frais pour la saison, dit-elle à voix haute. Est-ce toujours le cas ?

— Cela dépend. Il fait toujours moins chaud ici qu'à Athènes.

— J'ai remarqué des ruines, en entrant dans le port, ajouta-t-elle.

— Ce sont les restes de l'ancienne forteresse. Skios, autrefois, jouait un grand rôle dans le commerce maritime en Méditerranée. La demeure de mon père, comme beaucoup d'autres, a été construite au XVIIIe siècle, par les Vénitiens...

Il s'interrompit, puis reprit d'une voix sèche :

— Dois-je jouer les guides touristiques? Que voulez-vous savoir encore?

Elle garda le silence. Tel était le début de leur mariage, tel il serait dans le futur. Elle devait lui faire comprendre cette nuit même qu'elle ne serait pas toujours disponible à ses désirs. Il fallait le maintenir à distance. En lui montrant une froideur constante, elle le découragerait et il serait obligé de s'intéresser à d'autres. Cela prendrait peut-être un an, mais ensuite elle pourrait divorcer...

Soudain, elle poussa un cri de douleur. Il l'avait violemment tirée par les cheveux et la tenait serrée contre lui. De sa main libre, il lui leva le menton et posa sur les siennes des lèvres brûlantes.

C'était un acte de possession brutale qui fit monter en elle une flambée de rage. Elle faillit le griffer au visage, mais son instinct lui intima de se refréner et ne pas risquer d'éveiller sa colère. Elle demeura parfaitement immobile, sans réaction, et il desserra graduellement son étreinte.

— Qu'est-ce qui ne va pas? chuchota-t-il à son oreille.

— Rien.

— Je ne vous crois pas.

Il lui caressa la joue avec une profonde douceur.

— Vous êtes blême, et vous n'avez pas ouvert la bouche de la journée, reprit-il.

— Vous non plus, il me semble!

— J'ai beaucoup de soucis, expliqua-t-il simplement.

— Des ennuis d'affaires?

— Oui. En fait, je dois me rendre à New York dès demain, pour quelques jours. Il vous faudra m'attendre, mais Tina, ma gouvernante, s'occupera bien de vous. Je serai de retour vendredi.

— Vous ne souhaitez pas que je vous accompagne, n'est-ce pas? s'enquit-elle poliment.

Il eut l'air surpris.

— Vous aimeriez?

— Pas vraiment.

— C'est bien ce que je pensais, conclut-il d'un ton énigmatique.

Une brise parfumée soufflait de la mer, soulevant parfois le sable. Dans la carriole filant à vive allure, le silence à présent était pesant. C'était celui du vieux conflit entre les sexes, ancien comme le monde...

Ils tournèrent soudain dans une allée et la silhouette claire d'une vaste maison parut entre les arbres.

Le conducteur arrêta les chevaux devant des arcades brillamment illuminées.

Une porte s'ouvrit, une femme se montra et cria quelque chose à Damien. Il répondit en grec et accompagna Teri en haut des marches.

— C'est Tina, précisa-t-il.

Teri eut conscience d'être examinée de haut en bas par une paire d'yeux inquisiteurs. Ils appartenaient à une femme d'un certain âge, aux cheveux noirs sévèrement tressés et ramenés sur la nuque. Elle hocha la tête et lança à la jeune femme quelques mots rapides.

— Que dois-je lui dire? demanda celle-ci à Damien.

— *Kalispera,* souffla-t-il. Cela signifie « bonsoir ».

Elle répéta le mot en s'appliquant. Un pâle sourire éclaira le visage de la gouvernante, qui lui souhaita elle-même la bienvenue en anglais.

— Vous vous exprimez très bien! s'exclama Teri.

— Elle a vécu longtemps aux Etats-Unis, commenta Damien. Arnie est-il ici? ajouta-t-il à l'adresse de Tina.

— Oui, dans la cuisine.

— Bien. Dites-lui de décharger nos bagages, et montrez sa chambre à Mme Nikerios, afin qu'elle puisse se changer.

Il s'engagea dans un couloir pavé de céramique, et la

gouvernante entraîna Teri dans la direction opposée.

— Par ici, Madame, ordonna-t-elle.

Elles traversèrent un patio et la jeune femme se retrouva dans une chambre claire et simple, d'une élégante sobriété. Des tapisseries aux couleurs de la mer — bleu et vert — ornaient le sol et les murs.

— Voici la salle de bains, indiqua Tina, ouvrant une porte.

Teri en montra une seconde.

— Où mène celle-ci? interrogea-t-elle poliment.

— Dans une autre chambre, fut la réponse prononcée d'un ton froid.

La femme l'observait à présent avec une hostilité non déguisée. Un homme entra dans la pièce et déposa des valises sur le lit.

— Voici mon mari, Arnie, fit Tina avec raideur.

— *Kalispera,* murmura Teri.

A sa grande surprise, l'homme éclata de rire.

— Ne vous méprenez pas, Miss, lança-t-il. Je suis aussi anglais que vous. Enchanté de faire votre connaissance.

Il retourna vers la porte avec la démarche chaloupée des vieux marins, et la jeune femme remarqua au passage le tatouage décorant l'un de ses bras.

— Avez-vous besoin d'aide? demanda la gouvernante.

Son offre déclinée, elle disparut.

Arnie n'avait pas apporté les bagages de Damien. Cela voulait-il dire qu'ils feraient chambre à part? Teri essaya d'ouvrir la seconde porte : elle était fermée à clef.

Elle se déshabilla entièrement, revêtit un peignoir moelleux et se plongea bientôt avec soulagement dans un bain mousseux.

Soudain, Damien fit irruption dans la pièce. Il était torse nu; sa peau mate, parfaitement lisse, reflétait la lumière. Une main posée sur la hanche, il annonça :

— Vous n'en avez pas pour longtemps? Mon père

nous attend dans vingt minutes, et j'aimerais prendre un bain moi aussi.

Elle se dressa dans l'eau, protégeant instinctivement sa poitrine de ses mains, et poussa une exclamation.

— Pourquoi n'utilisez-vous pas votre propre salle de bains? balbutia-t-elle.

— Je n'en ai pas d'autre que celle-ci. Allez! Dehors! Je vais vous aider à vous sécher...

— Non!... Non merci. Laissez-moi seule. Vous auriez tout de même pu frapper avant d'entrer! N'avez-vous donc aucune éducation?

— Pas celle d'un gentleman, rétorqua-t-il avec nonchalance. Mon père est né dans la misère et s'est frayé un chemin en se bagarrant; ma mère gagnait sa vie comme médiocre chanteuse dans les bars de New York. Vous voyez, nous ne courons pas après l'étiquette! Donnez-moi votre main, je vais vous aider. A moins que...

Il sourit avec ironie et ajouta :

— A moins que je ne vous rejoigne...

— Non! s'écria-t-elle.

Elle enjamba le rebord, tendant la main pour saisir la serviette. Mais elle fit un faux mouvement, glissa et se retrouva propulsée dans les bras mêmes de Damien.

— Mm... Comme vous sentez bon, murmura-t-il, frôlant son cou de ses lèvres, tandis qu'il caressait avidement son dos et la courbe de ses reins.

— J'aimerais tant... poursuivit-il, la saisissant par la taille et reculant pour l'observer de haut en bas.

Ses yeux sombres se fixèrent sur la pointe délicate des seins.

— Pour la première fois, je vous contemple vraiment... souffla-t-il. Et je suis tenté, tellement tenté...

Il se pencha. Teri se rejeta en arrière, s'empara de la serviette et la drapa autour d'elle. Leurs regards se rencontrèrent : le sien, inquiet et sur ses gardes, celui de l'homme légèrement amusé.

— On aurait peine à croire que nous avons été amants, fit-il remarquer.

— Nous ne l'avons pas été.

— Mais la première fois...

— Je préfère oublier la première fois, dit-elle froidement. La salle de bains est à vous. Je me sécherai à côté.

Elle sortit et referma la porte derrière elle.

Quand il réapparut, parfumé de lavande et rasé de près, elle était déjà habillée dans la robe bleue qu'il lui avait offerte. Debout contre la fenêtre, elle fumait une cigarette.

— Je croyais vous l'avoir fait comprendre, lança-t-il en s'approchant : je déteste l'odeur de tabac dans ma chambre.

Il lui retira la cigarette à moitié fumée.

— Votre chambre? s'écria-t-elle. Je pensais... D'après Tina, il en existe une autre...

— Il y en a bien une. Elle est minuscule, avec seulement un lit d'enfant. Je m'en sers comme garde-robe, expliqua-t-il d'un ton glacial.

Il écrasa la cigarette dans un cendrier et reprit :

— Je dors ici.

Il la dévisagea.

— Etes-vous à nouveau nerveuse? Pourquoi donc? Serait-ce la perspective de partager mon lit?

Teri ouvrit la bouche pour répliquer, puis changea d'avis et fit non de la tête. Elle se replongea dans la contemplation du paysage. Malgré l'obscurité, on distinguait la mer et une ligne d'arbres.

— Il me semble... que Tina ne m'aime pas, murmura-t-elle.

— Quelle importance? fit-il d'un ton surpris.

— Je vais tout de même passer plusieurs jours en sa compagnie, rétorqua-t-elle.

— Ne vous inquiétez pas. Elle finira par se calmer. Elle est simplement jalouse.

— Jalouse? Pourquoi? répéta Teri, interloquée, en se retournant vivement.

Il avait revêtu une élégante chemise crème et se tenait debout dans l'embrasure de la salle de bains.

— Vous n'avez pourtant pas... commença-t-elle, ne pouvant croire qu'il ait eu une liaison avec une femme de vingt ans son aînée.

— Tina s'est occupée de moi quand je n'étais qu'un bébé, aux Etats-Unis, expliqua-t-il. Elle me voue une profonde affection et n'a jamais supporté que je regarde une autre femme, y compris ma mère! Quand j'ai acquis une villa à Skios, je l'ai invitée à venir travailler pour moi, avec son mari. Elle a sauté sur l'occasion. Jusqu'à présent, tout s'est très bien passé.

Il sortit d'une penderie un pantalon assorti à sa chemise et disparut dans la salle de bains pour ôter celui qu'il portait.

Il revint au bout de quelques instants, choisit une cravate et un veston brun, puis lui jeta un coup d'œil.

— Je vous conseille de vous couvrir, suggéra-t-il. Nous allons marcher, et le vent de la mer est parfois assez frais.

Bientôt ils avançaient d'un pas vif le long d'un sentier qui serpentait vers le sommet d'une colline. Il avait passé un bras sous le sien et elle se laissait guider, car il faisait sombre. La perspective de rencontrer Stephanos Nikerios la rendait nerveuse; elle comptait sur le soutien de Damien.

Elle connaissait mieux à présent l'histoire du patriarche de la famille. Sa première femme était morte soudainement, laissant derrière elle deux filles déjà adultes et aucun fils. L'homme avait alors cinquante ans. Peu après, il fut l'objet d'une crise cardiaque; pris de panique, il avait épousé en hâte Marylin Merrill, l'Américaine dont il avait eu un fils deux ans auparavant, au cours d'une brève liaison. Son but était de légitimer l'enfant et d'en faire l'héritier de ses biens. Plus tard, ils avaient divorcé d'un commun accord et Stephanos Nikerios avait gardé le petit garçon avec lui.

Malgré son cœur fragile, il était toujours en vie à quatre-vingt-deux ans, et parfaitement lucide. Il avait laissé la charge de ses entreprises à Damien et coulait une vieillesse paisible auprès de sa troisième femme, Melina.

Sa demeure était d'un style italien raffiné. Des colonnades entouraient une cour centrale. La décoration était sobre, mais luxueuse : tapis anciens et tableaux de maître témoignaient assez de la fortune du propriétaire.

Il y avait trois personnes dans la salle où ils entrèrent, mais Teri remarqua immédiatement l'homme âgé assis sur un fauteuil roulant. Il était aisé de reconnaître Stephanos Nikerios, dont la photographie paraissait souvent dans les journaux. Il avait les mêmes yeux que son fils, son air légèrement diabolique et énigmatique. Mais ses rares cheveux étaient gris et sa bouche n'avait pas le même humour. En voyant Damien, il lança quelques phrases d'une voix rauque. Le jeune homme fit une réplique qui suscita un éclat de rire général.

— Qu'a-t-il demandé ? chuchota Teri, avec une légère pression sur le bras de son compagnon. Dites-le-moi, je vous en prie !

Elle maudissait son ignorance de la langue grecque. Cela la mettait en position de faiblesse. Elle était résolue à l'apprendre le plus vite possible, de peur de rester toujours en retrait.

— Il a simplement souligné plaisamment nos cinq minutes de retard. C'est un maniaque de la ponctualité, il déteste qu'on le fasse attendre, murmura-t-il.

Il la conduisit vers le vieil homme, qui la dévisageait avec attention au fur et à mesure qu'ils traversaient la vaste salle. Derrière lui, la main posée sur le dossier du fauteuil roulant, se tenait une belle jeune femme, visiblement grecque de par ses yeux et ses cheveux d'un noir de jais. Des bracelets d'or, ornés d'émeraudes et de diamants, scintillaient à ses poignets.

— Que lui avez-vous répondu? chuchota à nouveau Teri, avec plus d'insistance. Pourquoi ont-ils ri?

— Cela, je ne vous le révélerai pas, répliqua-t-il. Vous pourriez en être offusquée et tourner bride sur-le-champ.

Abasourdie par sa réponse, elle resta silencieuse. De toute façon, ils étaient arrivés à la hauteur du fauteuil roulant et Damien faisait les présentations. Stephanos Nikerios jaugea Teri d'un œil d'aigle emprunt d'insolence; elle leva le menton d'un air de défi.

— Ainsi, vous êtes la fille d'Alex Hayton, grommela-t-il en anglais, avec un fort accent. Il aimait prendre des risques. Vous aussi, si j'en juge par ce mariage : vous avez mis le grappin sur mon fils! Vous sentez-vous de taille à l'apprivoiser?

— Je ne suis pas sûre de le vouloir, rétorqua-t-elle.

Elle s'assit sur une chaise proche de lui, remarquant que Damien et Melina s'étaient écartés et bavardaient à voix basse, leurs têtes penchées l'une vers l'autre.

— J'ignorais que vous connaissiez mon père, ajouta-t-elle.

— Je l'ai rencontré une fois, il y a des années de cela, expliqua-t-il. Vous lui ressemblez.

Il eut un sourire gourmand.

— Vous refuserez d'embrasser un vieil homme comme moi, je suppose. Autrefois, pourtant, j'étais aussi fringant que celui-là, et toutes les femmes me couraient après.

Il montrait son fils avec un air moqueur.

— A présent, poursuivit-il, je suis perclus d'arthrite et j'ai tout l'air d'une vieille momie...

— Vous avez belle allure, assura Teri.

Elle se pencha et déposa un léger baiser sur la joue parcheminée. Effectivement, songeait-elle, toute nervosité disparue, elle avait en face d'elle un homme seul et âgé...

— J'espère... commença-t-elle, s'interrompant soudain à la vue de Damien et de la femme brune.

Ils s'éloignaient vers l'autre extrémité de la pièce, bras dessus, bras dessous. Sa gorge se serra douloureusement. Elle dut résister au désir impérieux de bondir sur ses pieds pour les séparer.

Avec effort, elle ramena son regard vers Stephanos.

— C'est Melina, ma troisième femme, fit-il brusquement. Elle est très belle, n'est-ce pas? Depuis que je suis confiné sur mon fauteuil d'infirme, j'ai besoin d'une infirmière en permanence. Ma fille a engagé Melina, et je l'ai épousée pour couper court aux commérages. Ainsi, vous me trouvez bien?

Il souriait de toutes ses dents.

— Permettez-moi de vous retourner le compliment, poursuivit-il. A la manière britannique, vous êtes très belle vous aussi. Belle comme un ange!

Il eut un rire étouffé et appela soudain :

— Paul! Viens par ici. Je veux te présenter ma belle-fille.

Il se pencha et souffla d'un ton confidentiel :

— Voici mon petit-fils, Paul Turner. Comme Damien, il est à moitié américain. C'est l'aîné de ma fille Andrea.

Le jeune homme s'approcha. Il était d'une extrême beauté, semblable à certaines statues de l'Adonis grec; le nez droit, la bouche pleine et bien dessinée, la mâchoire volontaire. Sa peau, très hâlée, s'harmonisait à ses cheveux d'un brun-roux, légèrement ondulés. L'expression morose de son visage disparut quand il salua Teri avec un sourire éclatant :

— Bonjour, fit-il en lui serrant la main. Il est agréable de voir enfin quelqu'un de mon âge. Je ne suis ici que depuis quelques jours, mais j'ai déjà eu tout le temps de m'ennuyer.

Il lança un regard de biais vers Stephanos Nikerios qui propulsait sa chaise roulante vers Damien et Melina.

— J'espère qu'il ne m'a pas entendu, remarqua-t-il. Il a été vraiment très chic de me laisser rester chez lui.

Sa bouche se durcit alors qu'il expliquait :

— Je suis venu car j'ai quitté l'université juste avant mes examens. Cela n'a pas beaucoup plu à mes parents. Grand-père m'a recueilli et va me faire travailler sur l'un de ses paquebots. Après tout, c'est par là que lui et Damien ont commencé!

Son sourire revint tout à coup.

— Je suis bien bavard! plaisanta-t-il. En fait, je n'ai trouvé personne pour parler, jusqu'à présent. Stephanos se fatigue vite, et Melina ne comprend pas un traître mot d'anglais. Combien de temps passez-vous ici?

— Je ne sais pas exactement. En ce qui me concerne, au moins une semaine, le temps que mon mari revienne de New York. Il part demain.

— Ah oui! J'en ai entendu parler. Il va aider mon père, directeur d'une de leurs entreprises, à se sortir d'un mauvais pas. C'est quelqu'un de bien, Damien : il a l'air froid en apparence, mais il abrite un feu couvant sous la cendre. Quand il explose, mieux vaut se tenir sur ses gardes!

Il la considéra avec attention.

— Vous ne ressemblez pas aux autres femmes avec lesquelles il se montre d'ordinaire, souligna-t-il. Par quel miracle l'avez-vous épousé? Ce ne peut pas être par amour... probablement l'argent.

— Qu'est-ce qui vous fait penser cela? fit Teri sans se compromettre.

— Un certain cynisme, inévitable chez les membres d'une famille fortunée. Nous avons tendance à nous méfier de tout le monde.

Les trois autres revenaient vers eux. Melina poussait le fauteuil de son mari, l'air impassible.

— Teri, je vous présente Melina, dit Damien d'une voix impersonnelle. Voulez-vous la saluer en grec, comme vous l'avez fait pour Tina?

La jeune Anglaise s'exécuta. La Grecque répondit sans sourire et baissa les yeux.

— Ma chère, je vais vous enlever votre époux pour la soirée, car nous avons à parler affaires, lança Stephanos d'un ton affable. Je vous verrai demain. Venez quand vous voulez, n'hésitez pas. Il y a une piscine.

Il sourit d'un air moqueur et conclut :

— Paul vous tiendra compagnie. N'est-ce pas, Paul?

— Certainement, assura son petit-fils. Bonsoir.

— Je n'en ai pas pour longtemps, murmura Damien à l'oreille de Teri. Une heure au plus.

— Je vais rentrer me coucher, répliqua-t-elle froidement. Le voyage m'a épuisée.

Il fronça les sourcils et sa bouche se crispa. Un court instant, elle craignit l'explosion que Paul Turner avait décrite. Mais il haussa simplement les épaules.

— Comme vous voudrez. Paul, acceptez-vous de raccompagner ma femme à la villa? Elle ne connaît pas encore le chemin.

— Avec plaisir, répondit le jeune homme, tout en faisant un clin d'œil à Teri.

— A tout à l'heure, reprit Damien à voix basse, lui posant un baiser sur la tempe.

Il l'avait saisie par la taille et ne faisait aucun effort pour dissimuler la violence de son désir.

— Attendez-moi, ajouta-t-il les yeux brillants, resserrant son étreinte.

— J'essaierai, dit-elle en se dégageant. Mais je ne vous promets rien.

— Damien! hurla Stephanos à l'autre bout, d'une voix impérieuse.

Damien jeta à la jeune femme un dernier regard enflammé et s'éloigna.

— Voulez-vous partir maintenant? demanda Paul.

58

Teri se retourna. Il la dévisageait.

— Oui, mais ne vous sentez pas obligé de m'accompagner. Je trouverai le sentier, ce n'est pas loin.

Elle s'engagea sous les arcades.

— Je viens tout de même, lança-t-il en la suivant. J'adore me promener la nuit sur cette île. Connaissez-vous la Grèce?

— Non, pas encore. J'ai hâte de la visiter.

— Dommage que Damien doive s'en aller, alors... mais je serais moi-même tout à fait disposé à vous emmener en excursions. Ici même, à Skios, il existe des ruines de palais mycéniens. Elles ont été découvertes par Carl Swiess, l'archéologue. Vous avez entendu parler de lui?

— Notre maison d'édition... je veux dire, la compagnie Hayton a publié son livre à ce sujet, il y a quelques années. J'aimerais beaucoup les voir. Pourrions-nous y aller demain?

— Entendu, fit-il avec enthousiasme, glissant son bras sous le sien. Par ici. Heureusement que je suis avec vous, tante Teri. Vous auriez pris la mauvaise direction.

— Pourquoi m'appeler tante?

— Damien est mon oncle — mon demi-oncle, pour être précis. Etant donné que vous êtes sa femme...

— Vous n'avez pas employé le terme « oncle » en vous adressant à lui, cependant.

— C'est vrai.

— Dans ce cas, ne vous donnez pas non plus cette peine avec moi.

— O.K... Teri.

Il lui saisit la main.

— Je crois que vous allez infiniment me plaire, murmura-t-il. Vous êtes l'une de ces femmes indépendantes, et sachant gouverner leur existence sans s'imposer aux hommes qu'elles fréquentent. C'est probablement la raison pour laquelle Damien vous a choisie... Il supporte mal toute ingérence sur son territoire.

Il resta silencieux un moment, puis reprit :

— J'ai eu raison de penser que vous l'avez épousé pour sa fortune, n'est-ce pas?

— Peut-être.

Elle libéra sa main.

— Vous êtes une épouse sous contrat, en quelque sorte! railla-t-il. Comme sa mère... Vous avez rencontré Marilyn?

— Non. Il n'y a rien de mal à signer un contrat en se mariant, rétorqua-t-elle. C'est de plus en plus fréquent, de façon à éviter bien des désagréments en cas d'échec.

— Je suppose, quoiqu'à première vue, j'aurais juré que ce n'était pas votre genre. Vous avez plutôt l'air d'une romantique, donnant à l'amour priorité absolue...

— Il faut croire que ma période romantique est terminée, répondit-elle d'un ton léger.

— Donc, vous êtes déjà tombée amoureuse, suggéra-t-il avec délicatesse. Que s'est-il passé? Il vous a quittée?

— Il est mort, laissa-t-elle tomber. Parlons d'autre chose. Vous comprenez le grec?

— Je m'exprime couramment.

— Seriez-vous d'accord... pour me l'apprendre, du moins tant que vous resterez ici? Si Damien doit s'absenter souvent, cela pourrait m'être utile...

— Je comprends. Vous vous sentez mal à l'aise de ne pas savoir ce qui se dit autour de vous. Quand Damien bavarde avec Melina, par exemple...

Teri s'arrêta net. Elle distinguait dans l'obscurité la couleur claire de sa chemise et l'éclat de son sourire.

— Vous êtes très observateur, remarqua-t-elle.

— Question d'entraînement, fit-il calmement. J'ai étudié la psychiatrie; les gens m'intéressent au plus haut point. Connaître leurs sentiments, analyser leurs motivations... Vous avez raison de vous méfier de Melina. Elle vous lançait des regards meurtriers.

— Pourquoi? Je la voyais pour la première fois, je ne lui ai fait aucun mal...

60

— Détrompez-vous! Vous avez épousé Damien, ce qui a toujours été son plus cher désir. Parce qu'il ne se laissait pas convaincre, elle est devenue en désespoir de cause la femme de Stephanos... Mais elle n'a jamais vraiment renoncé. Elle y songe encore.

Il fit une pause et ajouta :

— Je suis prêt à parier qu'elle va tenter tout son possible, ce soir, pour le retenir après sa conversation avec grand-père. Il ne rentrera pas à la villa avant l'aube ; j'en mettrais ma main au feu.

Teri resta muette et reprit son chemin. Ils arrivèrent dans le jardin sans avoir échangé un mot, et s'arrêtèrent au pied des marches.

— J'espère ne pas vous avoir bouleversée par mes paroles, murmura-t-il en se rapprochant.

— Non. Absolument pas. Je me suis mariée selon un contrat, vous l'avez dit vous-même. Cela signifie que Damien et moi menons nos vies séparément. S'il souhaite discuter toute la nuit avec Melina, c'est son affaire, pas la mienne. Merci de m'avoir accompagnée. A quelle heure nous verrons-nous demain ?

— De préférence pas trop tôt, sourit-il. Vous aimez nager ?

— Oui, naturellement. Mais le temps sera-t-il assez doux ?

— La piscine de grand-père peut être chauffée, éventuellement. Ensuite, nous visiterons les ruines, et je vous révélerai d'autres détails sur la vie privée de la famille Nikerios...

— Bien. Alors, à onze heures ?

— Je vous attendrai au bord de la piscine.

Il se pencha, lui saisit la main et y déposa un baiser courtois, tout en prononçant à voix basse quelques mots grecs.

— Cela signifie « bonne nuit », expliqua-t-il. Répétez après moi : *Kalinektasas.*

Elle s'exécuta docilement, s'efforçant de respecter sa prononciation et son intonation.

— Parfait, approuva-t-il. C'était la première leçon. Nous continuerons demain.

Il disparut. A l'intérieur de la villa, tout était silencieux. Une lampe à huile diffusait dans le hall une lumière douce, projetant sur les parois des ombres cahotiques. Teri se glissa à pas de loup vers sa chambre.

Elle se prépara pour la nuit et se mit au lit avec le roman qu'elle avait apporté. Mais, pour une fois, l'intrigue habilement menée ne suffisait pas à distraire son attention. Elle repassait inlassablement dans son esprit les événements de la journée, et ne pouvait empêcher l'image de Damien et de Melina de surgir devant ses yeux, brouillant les lignes qu'elle s'efforçait de lire.

Elle finit par le refermer d'un coup sec, éteignit la lumière et essaya de trouver le sommeil. Si les deux autres avaient une liaison, cela ne la concernait pas. Il lui était égal que Damien ne revienne pas la trouver. En fait, elle ne le souhaitait pas. Elle ne voulait pas le voir du tout, c'était aussi simple que cela.

Longtemps après, elle n'était toujours pas endormie. Elle chercha en tâtonnant l'interrupteur et ralluma la lampe de chevet, puis elle consulta sa montre. Deux heures s'étaient écoulées depuis qu'elle avait quitté la demeure sur la colline; et Damien avait promis qu'il serait de retour au bout d'une heure. Teri éteignit à nouveau et se rallongea, les yeux grands ouverts dans l'obscurité, sursautant à chaque bruit, guettant les pas qui signifieraient que Damien ne passait pas la nuit avec Melina.

Une heure plus tard, elle désirait désespérément sa présence. Ses nerfs étaient tendus à l'extrême. Furieuse contre elle-même, elle se leva, se dirigea vers la salle de bains et fuma une cigarette, fermant la porte pour que la fumée ne s'échappe pas dans la chambre. Elle voulait éviter de s'attirer une remarque cinglante. Elle s'aperçut soudain dans le miroir et éclata de rire.

— Quelle tête tu fais! s'exclama-t-elle à voix haute. Que t'arrive-t-il? Pourquoi te soucier de lui et de ses reproches? Il semble avoir lui aussi de mauvaises habitudes... Remets-toi au lit et cesse d'y penser. Tu n'es pas amoureuse de cet homme, il ne l'est pas de toi, et aucun de vous n'a rien à attendre de l'autre.

Comme si le fait de se gourmander l'avait un peu calmée, elle sombra cette fois dans le sommeil sitôt la tête posée sur l'oreiller.

Plus tard, beaucoup plus tard, elle eut conscience d'un mouvement à côté d'elle, puis d'une chaude présence.

Damien était dans le lit.

— Quelle heure est-il? murmura-t-elle d'une voix embrumée.

— Presque trois heures du matin, répondit-il en caressant son épaule et la courbe de ses seins. Vous dormiez profondément.

— J'étais très fatiguée. Je le suis toujours, marmonna-t-elle, en repoussant sa main. Bonsoir.

Il l'enlaça avec insistance et posa ses lèvres sur sa nuque. Complètement éveillée, elle restait immobile, sentant près d'elle les battements désordonnés de son cœur, comprenant qu'une passion dévorante s'emparait de lui.

— Laissez-moi, chuchota-t-elle d'une voix haletante, suffoquant presque. Je veux rester seule.

Elle attendit avec angoisse, se demandant comment réagir s'il s'obstinait. Il retira lentement son bras et s'allongea sur le dos. Au bout d'un moment, il se leva; Teri frissonna sous le courant d'air quand il déplaça les couvertures. Il les remit soigneusement en place, la porte s'ouvrit puis se referma : il était parti.

4

Elle s'éveilla tôt le lendemain matin. Il n'y avait pas trace de Damien, et la porte entre les deux chambres était toujours close. Cependant, dans la salle de bains, l'atmosphère chargée de vapeur d'eau prouvait que quelqu'un avait utilisé la baignoire.

Teri fit sa toilette et s'habilla d'un léger tailleur de toile bleu pâle. Elle sortit et se mit en devoir d'explorer sa nouvelle demeure.

Elle se demandait si elle se sentirait jamais chez elle dans cet ensemble de cubes blancs reliés par des colonnades ou des escaliers, et accrochés au flanc d'une colline; dans ces cours pavées de mosaïque, embaumées par l'odeur du jasmin... N'y serait-elle pas pour toujours une étrangère, comme elle l'était à présent? Elle errait sans même trouver l'endroit où l'on servait le petit déjeuner...

Elle descendit deux volées de marches et se retrouva dans une cour plus vaste que les autres, dont l'un des côtés ouvrait sur la mer. Arnie était occupé à rempoter des géraniums.

— Bonjour, madame Nikerios, dit-il d'un ton accueillant. Vous n'êtes pas trop perdue?

— A vrai dire, je cherche le petit déjeuner!

— Vous devriez aller voir ma femme au bout de ce passage.

Teri suivit ses indications et parcourut un couloir voûté. Elle déboucha dans une pièce claire, ornée d'icônes et de tapisseries; la table était dressée. Tina apparut aussitôt, un plateau dans les mains.

— Bonjour, *kyria,* fit-elle de sa voix basse.

Elle déposa le plateau sur la table.

— J'espère que cela vous plaira, poursuivit-elle. Café, pain, beurre et miel du pays. M. Nikerios a laissé ceci pour vous.

De la poche de son tablier immaculé, elle tirait une lettre.

— Merci. Est-il donc déjà parti? s'exclama Teri en s'en emparant.

— Il a pris le bateau ce matin à l'aube, répliqua Tina d'un ton impassible, avant de sortir.

La jeune femme s'assit à la table. Le pain frais, le café et le miel dans son pot de terre brune lui donnaient soudain très faim. Elle mit l'enveloppe de côté et commença à manger. Rassasiée, elle finit à petites gorgées le liquide brûlant et parfumé et saisit enfin la lettre pour l'ouvrir.

La note était très courte :

« Teri, disait-elle, je n'ose pas vous réveiller pour vous dire au revoir, de peur que vous ne soyez encore fatiguée. Je souhaite vous trouver plus reposée à mon retour. Au cas où vous auriez besoin d'argent, demandez à Philip Marinatos, le secrétaire de mon père, de vous l'avancer. Je vous ouvrirai un compte dès que je serai rentré. A vendredi. »

Elle replia lentement le minuscule papier. Les phrases brèves, la touche de sarcasme évoquaient Damien de façon prenante. Elle croyait presque le voir debout devant elle, la bouche moqueuse, le regard étincelant... La seconde phrase lui dansait dans la tête : il espérait la trouver « plus reposée »... impliquait-il par là plus disponible, plus désireuse de répondre à ses avances?

Elle chassa cette pensée obsédante. Comme à son

66

habitude, elle repoussait l'obstacle pour l'affronter plus tard, le moment venu. Pour l'instant, elle entendait profiter au maximum de ces quelques jours de répit, se promener et s'amuser librement.

En sortant, elle repassa par la cour. Tina l'interpella :

— Serez-vous ici pour le repas de midi, *kyria?*

— Euh... Ce n'est pas sûr. Je pense qu'il serait beaucoup plus sage de ne rien préparer pour moi. Je vais nager avec M. Nikerios Junior, et je ne sais pas quels projets il a ensuite.

Le regard inamical de la femme la mettait mal à l'aise; elle avait l'impression d'être jaugée, censurée.

— Est-ce vous qui avez cuit le pain, ce matin? se hâta-t-elle d'ajouter, cherchant désespérément une faille dans ce mur d'hostilité.

— Oui, répondit Tina, adoucissant légèrement son expression.

— Il était absolument délicieux. Tout le reste également, d'ailleurs.

— Le miel vient du mont Hymette, c'est le meilleur du monde.

La gouvernante s'exprimait avec fierté.

— Je suis heureuse qu'il vous ait plu, reprit-elle. Que puis-je d'autre pour vous? Avez-vous de la lessive?

— Oh, j'ai juste quelques sous-vêtements à laver. Je peux le faire moi-même.

— Il vaut mieux que je m'en charge, *kyria*. C'est mon travail; je tiens la maison, je cuisine et je m'occupe du linge de M. Nikerios quand il est ici. J'insiste pour me conduire de même avec sa femme.

— Mais... Enfin, comme vous voulez!

Teri s'interrompit et se mordit la lèvre, puis elle eut un léger rire.

— Seulement, je n'ai pas l'habitude d'être aidée ainsi... D'ordinaire, je fais tout moi-même, ma propre cuisine, ma lessive... J'aime aller et venir comme il m'entend.

Son interlocutrice lui lança un regard troublé.

— Je devine que vous êtes très indépendante, fit-elle paisiblement, mais je dois vous donner un conseil. Tout le temps que vous passerez sur cette île, il vous faudra réfréner votre spontanéité et votre dynamisme naturels... Sinon, les mauvaises langues vous créeront des ennuis. Laissez votre linge dans le panier de la salle de bains, je le prendrai en rangeant la chambre.

Teri acquiesça, sans prêter attention à la remarque sur les risques de commérages. Etant donné son affection pour Damien, il était logique que Tina se soucie de la réputation de sa nouvelle épouse. La jeune Anglaise prit son maillot de bain et sa serviette dans sa chambre, puis elle s'engagea dans le sentier bordé de pins.

A travers les arbres, la demeure de Stephanos Nikerios apparaissait en pleine lumière; étagée comme l'autre villa, elle était peinte en rose pâle, doré par le soleil. Les colonnes gracieuses qui soutenaient le porche, légèrement torsadées, donnaient à l'ensemble un aspect presque irréel.

Un domestique la conduisit dans une cour dissimulée aux regards. Des grappes de jasmin d'un jaune vif s'inclinaient vers d'énormes géraniums pourpres; le sol était couvert de motifs de céramique bleue et blanche, jusqu'au bord de la piscine.

Paul se prélassait déjà dans une chaise longue, vêtu d'un court maillot de bain. Il bondit vers elle d'une démarche souple et féline. Comme la nuit précédente, il se pencha et lui déposa un baiser sur la main.

— Je ne m'y habituerai jamais, fit Teri en riant un peu nerveusement. A vrai dire, ce n'est pas mon genre; je crois trop à l'égalité, je me vois difficilement jouant les déesses sur un piédestal...

— Vous êtes encore plus belle à la lumière du jour, murmura-t-il, ses yeux turquoise fixés sur elle. Pure et immaculée comme la neige... Etes-vous aussi pure que vous le paraissez, Teri?

— Cela ne vous concerne absolument pas, répondit-elle d'un ton glacial. Où puis-je me changer?

— Il était en retard, n'est-ce pas? poursuivit Paul sans répondre à sa question.

— Qui cela?

— Damien. Il est parti d'ici à minuit passé, hier soir. Il vous a fait attendre bien plus d'une heure...

— Je n'ai pas remarqué, répliqua-t-elle avec insouciance. Je dormais.

— Eh bien! ricana-t-il. Charmante façon de passer votre nuit de noces!

— Encore une réflexion de ce genre, fit Teri avec une douceur feinte, et je vous laisse nager seul.

Son regard étincelait de colère.

— Bien, je me tais, lança-t-il en faisant mine d'esquiver une gifle imaginaire.

Il ajouta avec un sourire:

— Vous pouvez vous changer dans cette pièce. La porte-fenêtre est ouverte.

Quand elle revint, vêtue d'un seyant maillot de bain d'un noir profond, il évoluait déjà dans l'eau transparente. Elle plongea un orteil dans la piscine; rassurée de la trouver assez chaude, elle s'y laissa couler avec plaisir.

Ils passèrent un joyeux moment à s'ébattre et à se poursuivre à la nage. Au bout d'une demi-heure, Teri, essoufflée, jugea avoir pris suffisamment d'exercice et elle se dirigea vers l'échelle. Alors qu'elle allait la saisir, elle se sentit tirée par le pied et se retrouva la tête sous l'eau, perdant haleine. Elle refit surface: Paul l'attrapa par la taille, une expression non équivoque dans les yeux. Elle subit son baiser, puis se dégagea rapidement et posa le pied sur la première marche. A nouveau, une main s'empara de sa cheville.

— Assez! s'exclama-t-elle avec violence.

Elle agita la jambe et le repoussa, puis finit de grimper.

Haletante, elle heurta soudain quelqu'un qui était en train de les observer.

— Excusez-moi, bredouilla-t-elle à bout de souffle, rejetant en arrière ses cheveux trempés lui tombant devant les yeux.

Tout à coup, elle reconnut le visage impénétrable de Melina. Elle se raidit aussitôt, se demandant depuis combien de temps la Grecque était là. Elle en avait la chair de poule.

Melina était fort belle, songeait-elle. Grande, la silhouette pleine embellie par sa robe de soie à grands ramages, les traits fins et bien dessinés sur sa peau mate... Du même âge que Damien, elle avait beaucoup en commun avec lui : la même langue, la même culture, et le souci partagé de la santé de Stephanos. Il était normal qu'ils soient amis et aient de longues conversations; mais cela justifiait-il de les prolonger aussi tard dans la nuit?

Teri se ressaisit soudain; l'autre lui adressait la parole. Elle n'avait pas compris un mot.

— Que dit-elle? demanda-t-elle à Paul.

Il était sorti de l'eau et se séchait.

— Elle vous invite à déjeuner, de la part de mon grand-père. Que dois-je lui répondre? Si vous acceptez, nous pourrons nous promener ensuite, comme prévu.

— Expliquez-lui que j'accepte volontiers.

Il traduisit rapidement. Melina hocha la tête, ajouta quelques mots brefs et disparut dans la maison, une expression désapprobatrice dans le regard.

— Qu'a-t-elle dit encore? reprit la jeune Anglaise, se séchant à son tour. Cela ressemblait à un reproche.

— C'en était bien un. Elle me critiquait de vous avoir embrassée.

Il s'allongea avec nonchalance dans la chaise longue,

croisa les bras sous sa tête et lui lança un clin d'œil narquois.

— Selon elle, je devrais vous témoigner plus de respect.

— D'autant plus que je suis votre tante par alliance, rétorqua-t-elle d'un ton moqueur. Mais elle a certainement saisi la plaisanterie...

— Pas avec sa mentalité. Pour elle, un homme ne doit pas se conduire ainsi, et une femme surtout pas se laisser faire. A présent, elle vous a certainement cataloguée comme l'une de ces jeunes occidentales libérées, qui abusent leur mari sitôt qu'il a le dos tourné...

— Chose qu'elle ne se permettrait certainement pas, souligna Teri en sortant une cigarette de son sac.

— Sauf si elle en aime un autre... en l'occurrence, Damien.

Troublée, la jeune femme mit ses lunettes noires et s'étendit sur la seconde chaise longue.

— J'estime merveilleux de pouvoir prendre un bain de soleil à cette époque de l'année, fit-elle d'un ton léger, déterminée à changer de sujet. Quelle douce chaleur...

— Je parie que d'ici la fin de la semaine, vous aurez acquis un bronzage superbe, d'un effet dévastateur avec vos cheveux blonds. Melina trouvera difficile de rivaliser...

— Arrêtez un peu, je vous en prie, dit-elle d'une voix tendue. Vous ne cessez pas de parler d'elle et de Damien.

— Déjà jalouse? railla-t-il.

— Non. Simplement fatiguée de cette conversation. La sieste est-elle d'usage après le déjeuner?

— Pas encore. Seulement pendant les mois d'été. A ce moment-là, on en donne les horaires officiels, en général de 1 heure et demie à 5 heures de l'après-midi. On interdit de se comporter trop bruyamment, et il vaut mieux éviter les visites à l'improviste...

Il reprit d'un ton provocant :

— Voulez-vous prendre une leçon de grec? C'est une occupation que l'on ne pourra pas nous reprocher, et fort utile pour vous...

— D'accord. Je vous écoute.

A l'heure du déjeuner, Teri connaissait déjà l'alphabet et quelques mots courants. Enchantée, elle les essaya auprès de Melina dans la salle vaste et fraîche où ils prenaient le repas. Cette fois cependant, elle ne réussit pas à briser le mur d'hostilité polie que celle-ci dressait autour d'elle. La Grecque garda un silence glacial, sans même prendre la peine de répondre aux plaisanteries de Stephanos.

Les plats se succédaient en grand nombre. D'abord, une soupe à l'oignon; puis un *souvlaki* d'agneau, mijoté avec des champignons, des citrons et des fines herbes; enfin, des salades. Arrivée au dessert, Teri refusa le *halva,* délicieuse combinaison de noix et de miel, et se contenta des raisins juteux accompagnant le café traditionnel.

— Qu'allez-vous visiter avec Paul? lança le vieux Nikerios. Nous tenons à tout prix à vous distraire, sinon votre mari vous manquera trop!

— Nous pensions voir les ruines mycéniennes fouillées par Carl Sweiss, l'archéologue, répondit la jeune femme.

— L'avez-vous jamais rencontré?

— Non.

— C'était un homme intéressant, très intelligent. Cependant, je l'ai vu repartir avec soulagement, car il emmenait sa femme avec lui...

— Je croyais au contraire... intervint Paul.

Il hésita, puis reprit :

— Ne l'avait-elle pas abandonné, pour s'enfuir avec un autre?

72

— Avec qui? s'étrangla Stephanos, les sourcils froncés.

— Je comptais sur vous pour me le dire, grand-père. Vous étiez présent à l'époque...

— Mm! Une semeuse de discorde, cette femme, voilà tout, grommela le vieil homme. Carl n'aurait jamais dû l'épouser. Elle désirait de l'attention en permanence, d'où qu'elle vienne... Melina, je me sens fatigué; je vais aller faire un somme.

Il se leva, adressant soudain à Teri un sourire complice. Pendant un court instant, elle crut reconnaître Damien. Une douleur la traversa; pourquoi ne se trouvait-il pas ici, au milieu d'eux? Elle chassa cette pensée douloureuse.

Un sentier tortueux, bordé de roches rougeâtres et de pins tourmentés conduisait aux ruines. Il débouchait sur un vaste plateau qui dominait la mer. En contrebas, bordé par une plage argentée, s'étalait un minuscule village de pêcheurs, dont les maisonnettes blanches scintillaient sous le soleil.

Bien peu de choses restaient debout de l'ancien palais; quelques murs à moitié écroulés, une ou deux colonnes dérisoires et des traces de mosaïque sur le sol. Dans un silence profond, aucun souffle de vent ne perturbait la chaleur paisible de l'après-midi.

— Je me demande qui vivait ici, murmura la jeune femme. Selon Carl Sweiss, il s'agissait seulement d'un palais d'été; les rois venaient s'y réfugier lorsque la température se faisait insupportable sur le continent.

— Les princes d'aujourd'hui les imitent, souligna Paul. Les riches industriels, les millionnaires tels que Damien et grand-père...

Il ajouta en souriant :

— Imaginez les héros antiques, Agamemnon, par exemple, fuyant Mycènes et débarquant ici, abandonnant derrière lui une épouse trop exigeante...

— Ce ne devait pas être la seule raison, dit Teri d'un

ton rêveur. Avez-vous visité Mycènes? Les ruines ressemblent beaucoup à celles-ci, je suppose.

— Oui, énormément. Mais elles sont beaucoup plus étendues.

Il leva la tête vers le sommet des piliers qui se découpaient nettement sur le bleu profond du ciel.

— Les chapiteaux datent de la même époque; cependant, on trouve des tombes à Mycènes, mais pas sur Skios.

— Pas de fantômes, non plus...

— Mis à part ceux de Carl et Helga Sweiss, répliquat-il alors qu'ils déambulaient le long de la falaise en à-pic.

— J'aimerais savoir ce qui s'est réellement passé cet été-là, poursuivit-il. Tous mes efforts auprès de la famille pour obtenir des détails restent vains. Apparemment, le secret ne doit pas être divulgué auprès de la jeune génération...

— L'un d'eux a dû faire l'objet d'un scandale. En ne vous révélant rien, ils pensent protéger votre innocence.

— Un peu tard! ricana-t-il. Je ne suis tout de même plus un petit garçon... Où irons-nous à présent? Si vous avez votre compte d'antiquité, je vous propose d'expérimenter un peu la Grèce moderne. Descendons prendre un verre à la *taverna* du village. C'est toujours un lieu très animé.

En fin de journée, il la raccompagna dans une carriole à cheval. Paul se refusait à la quitter, mais Teri réussit à le convaincre de rentrer chez son grand-père en lui promettant de revenir nager le lendemain matin. Elle regagna sa chambre, la musique du *bouzouki* chantant encore à ses oreilles.

Le reste de la semaine s'écoula de la même façon. Ils se baignaient avant le déjeuner, lézardaient un peu au soleil et mangeaient en compagnie de Stephanos et de Melina. Puis ils passaient l'après-midi à explorer tous

74

les recoins de l'île et finissaient la soirée à la *taverna*, en bavardant avec les pêcheurs au son de la musique.

Ce programme monotone pesait de plus en plus à la jeune Anglaise. Elle avait vu tout ce qu'il y avait à voir, et l'inaction ne lui était pas coutumière. Incapable de dormir, exaspérée, elle gisait sur son lit en fixant inlassablement les étoiles. Comme elle aurait aimé se retrouver à Londres, reprendre son travail d'édition! Sa mère, ses amis et ses collègues lui manquaient terriblement... Certes, Paul et Stephanos faisaient preuve de générosité et d'une gentillesse sincère. Malgré cela, elle se sentait toujours aussi étrangère.

Elle essaya de se réconforter : tout irait mieux quand Damien serait de retour. Il l'emmènerait en voyage, la guiderait dans tous les sites grecs qu'elle admirait. Sa présence dissiperait les dernières traces de nervosité dont elle souffrait... Il suffisait d'attendre jusqu'au lendemain... Il avait affirmé qu'il rentrait vendredi, et on était déjà jeudi.

En s'éveillant le matin suivant, elle ne se rendit pas à la piscine mais resta dans sa chambre, à rédiger de longues lettres à l'intention de sa mère, de son frère et de son amie Shirley. Elle s'en fut à l'autre villa seulement après le déjeuner.

— Pourquoi n'êtes-vous pas venue nager? demanda Paul d'un ton boudeur.

— J'étais occupée, répliqua-t-elle froidement.

— Grand-père veut vous voir. Il bavarde avec Philip dans son bureau. Il vous attend.

Teri trouva son chemin jusqu'à la petite pièce emplie de rayonnages. Stephanos l'accueillit avec chaleur et lui tendit les bras. Elle se pencha pour l'embrasser. Le vieil homme expliqua alors que Damien avait téléphoné : il devait rester à New York trois jours de plus. La déception était si cruelle que la jeune femme en aurait pleuré.

— Que lui arrive-t-il? interrogea-t-elle d'une voix tremblante. Pourquoi ce retard?

— Trop de travail, simplement, répondit-il en lui pressant doucement la main. Le prochain avion décolle lundi. Ne vous inquiétez pas tant, ma chère. Il n'y en a plus pour longtemps. Je comprends votre émotion, vous êtes mariés depuis si peu de jours! Lorsque vous vous connaîtrez mieux, que vous aurez une famille, ses absences se feront plus supportables.

— Mais je ne veux pas... lâcha-t-elle étourdiment.

Elle se mordit la lèvre; impossible d'avouer, sans se trahir, qu'il n'entrait pas dans ses intentions d'élever des enfants... Elle leva les yeux : Stephanos la considérait d'un air intrigué.

— Donnez-moi un petit-fils, chuchota-t-il. Un garçon, la chair de ma chair... Savez-vous où je suis né, Teri?

Elle secoua négativement la tête.

— A Mani, dans le Péloponnèse. Les habitants y vivent dans une extrême pauvreté, mais ils ont un sens aigu de leur dignité. Ils descendent des Spartiates, et la naissance d'un fils fournit l'occasion d'une grande fête, où chacun tire des coups de fusil en l'air. Je désire profondément que Damien et vous aient, dans l'année, un enfant mâle... le jour de mon anniversaire, dans l'idéal; le vingt-six décembre, pour la Saint-Stéphane. Je veux le tenir dans mes bras avant de mourir...

Teri restait pétrifiée, sans pouvoir bouger sa main qu'il serrait très fort. La suggestion du vieil homme l'horrifiait.

— C'est pour cette seule raison que j'ai poussé Damien à se marier, poursuivit-il de sa voix rauque. Il a joué les play-boys assez longtemps. Quant à vous...

Il s'arrêta et la parcourut d'un œil critique.

— Vous me paraissez bien mince pour accoucher sans problème, reprit-il crûment. Peut-être s'est-il trompé en vous choisissant. Non seulement à cause de cela, mais aussi parce que vous semblez dépourvue d'endurance et de volonté, en dépit de votre joli visage... J'en dirais d'ailleurs autant de Paul. Cette génération d'aujourd'hui !... Il leur faut tout tout de suite, et ils s'en lassent sitôt l'avoir obtenu. Oui ; à moins de changer, vous ne conviendrez jamais à mon fils Damien.

— Tout cela est faux ! explosa Teri en dégageant sa main. Si j'étais réellement privée d'endurance et de volonté, je n'aurais jamais survécu aux souffrances que j'ai connues depuis deux ans...

— Bien ! s'écria Stephanos en battant des mains. Beaucoup mieux ! Voilà ce que j'appelle faire preuve de répondant. Maintenant, racontez-moi vos projets d'ici lundi. Notre îlot commence à vous ennuyer, n'est-ce pas ?

— Un peu, avoua-t-elle, surprise par tant de perspicacité.

Son intuition égalait celle de Damien.

— Je me suis toujours trouvée très occupée, expliqua-t-elle. J'ai l'habitude de voyager, de voir des choses par moi-même...

— Où aimeriez-vous aller ?

— Eh bien... à Athènes, visiter les musées, l'Acropole...

— Il faut vous y rendre dès demain, dit-il fermement. Paul vous conduira. Il vous montrera la maison où vous vivrez avec Damien, dès son retour. Restez-y quelques jours ; tant que vous promettez d'être ici lundi pour l'accueillir, vous êtes libre de circuler comme il vous plaira. Ce programme vous convient ?

— A merveille... merci infiniment.

Elle leva les yeux, légèrement troublée ; il la fixait d'un regard malicieux. Il avait deviné sa nervosité, son désir de bouger, et il lui offrait un dérivatif.

— C'est très gentil à vous, murmura-t-elle, sa colère définitivement évanouie devant ce nouvel exemple de générosité.

— Je pense aussi à l'avenir de mon fils, expliqua-t-il d'une voix douce. Sa mère m'a quitté parce qu'elle ne supportait plus la solitude et l'oisiveté; je ne veux pas que vous réagissiez de la même façon. A présent, laissez-moi. Je dois prendre un peu de repos. Toutes ces allées et venues m'ont exténué.

Teri retrouva Paul au bord de la piscine; affalé sur sa chaise longue favorite, il sirotait d'un air morose une boisson glacée.

— Damien ne rentre pas avant lundi, annonça-t-elle en s'installant dans le fauteuil voisin. J'ai l'intention de passer le week-end à Athènes. Votre grand-père suggère que vous m'y conduisiez... si cela ne vous dérange pas.

— Au contraire, affirma-t-il en se levant.

Son visage s'éclairait tout à coup.

— Je comptais y aller demain, de toute façon, pour rencontrer deux amis américains qui viennent de débarquer. Vous vous souvenez du marin qui chantait à la taverne, l'autre soir? Il se nomme Angelos Skopelos. Il nous amènera dans son bateau jusqu'à Egine, et de là nous sauterons dans le vapeur pour Athènes. Il y en a au maximum pour deux heures. Où pensiez-vous dormir, une fois sur place?

— Dans les appartements de Damien, à la villa Nikerios.

— Parfait. J'y resterai aussi.

Il finit son verre et le posa.

— Venez avec moi, fit-il en donnant le signal du départ. Il vaut mieux s'arranger tout de suite avec Angelos.

Le lendemain matin, ils montèrent dans la caïque blanche et bleue du marin. Elle filait à toute allure, tanguant légèrement et laissant échapper un nuage d'épaisse fumée noire. Teri regrettait que la traversée s'accomplisse à l'aide du moteur; elle aurait aimé voir la voile se dresser, afin de mieux profiter de la beauté du paysage. Sur une mer d'un bleu profond, presque violet, les îles se profilaient délicatement à l'horizon. Paul expliqua que le vent était trop faible.

Trois quarts d'heure plus tard, ils pénétraient dans le port d'Egine. Une brume transparente comme une gaze laissait entrevoir des pentes boisées, d'un vert vif. A flanc de montagne s'accrochaient des essaims de maisonnettes aux tons pastels, semblables à des maisons de poupée. Ils s'arrêtèrent devant une jetée, et, après avoir remercié Angelos, se mêlèrent à la foule qui s'entassait dans le bateau pour Athènes.

Dès leur arrivée au Pirée, un taxi les mena à la villa Nikerios.

Teri devait se souvenir toute sa vie de cette journée, comme d'un symbole de son entrée dans l'âge mûr. Pour la dernière fois, elle s'était conduite avec l'insouciance irresponsable de la jeunesse; pour la dernière fois, elle avait vécu totalement au présent, sans une pensée ni un regret pour le passé ou le futur. Enfin, ce jour-là fut celui où elle dut admettre, sans pouvoir retourner en arrière, qu'elle était à nouveau amoureuse. Et plus seulement d'une ombre disparue...

La villa était située dans un quartier résidentiel, au pied du mont Likavitos. Au fond du parc, ombragé de noirs cyprès, on avait une vue magnifique sur la ville que dominait l'Acropole.

La demeure possédait des dimensions impressionnantes. La jeune femme, tout à la fois émerveillée et intimidée, pénétra dans un hall immense, empli de mosaïques et de colonnes de marbre.

Paul lui présenta la gouvernante. Elle se montra d'emblée beaucoup plus avenante que Tina, et conduisit Teri au sommet d'un escalier monumental. Elles traversèrent un dédale de corridors et entrèrent dans les appartements de Damien.

— Combien de temps passerez-vous avec nous, *kyria*? interrogea la gouvernante dans un anglais appliqué.

— Deux nuits, je pense, répondit la jeune Anglaise. Cela dépend du retour de Dam... de mon mari. Je vous préviendrai.

Elle s'efforçait de parler d'un ton assuré, se rappelant qu'elle était désormais la maîtresse de maison.

Elle déambula dans les pièces, agréablement surprise par leur ambiance chaude et intime. Elle trouva d'abord deux chambres, séparées par une salle de bains et joliment meublées : la première, dans les tons blanc et bleu franc, comportait un grand lit à baldaquin. La seconde, plus étroite, lui parut aussi plus féminine avec ses tentures roses et abricot. De l'autre côté du couloir, un salon élégant ouvrait ses fenêtres sur la même vue de la ville que l'on avait dans le parc. Teri la contempla quelques instants puis disposa ses vêtements dans le placard de la petite chambre.

Quelques coups discrets retentirent. Devinant qu'il s'agissait de Paul, elle alla ouvrir.

— Vous êtes prête? demanda-t-il. Qu'aimeriez-vous visiter en premier?

— L'Acropole, naturellement.

— Me donnez-vous la permission d'emprunter la voiture de Damien? Elle est au garage, et personne ne s'en sert.

— Ma permission? Pourquoi?

— Vous êtes sa femme, tout ce qui lui appartient vous appartient aussi, dit-il effrontément. Il existe des transports en commun, mais cela prend du temps.

— Je ne sais pas s'il serait d'accord, avança-t-elle.

— Nous verrons bien, n'est-ce pas? répondit-il avec impétuosité.

— Entendu. Mais il faudrait avoir les clefs...

— Andros les a. C'est le chauffeur de grand-père; il entretient toutes les voitures.

C'était une expérience excitante de circuler dans la voiture de sport au profil racé. Paul évitait avec habileté les véhicules qui débouchaient de tous les côtés; le samedi matin, la circulation redoublait d'intensité dans les rues de la capitale. Ils s'engagèrent le long du boulevard qui descendait au square Syntagma.

— Nous reviendrons déjeuner dans ce café, hurla Paul en montrant du doigt une *taverna*. Nous y avons rendez-vous avec Chuck et Lily.

Les cheveux au vent, un léger sourire sur les lèvres, il semblait parfaitement dans son élément au volant d'un bolide de course.

Ils continuèrent leur chemin dans un dédale de ruelles bordées de vieilles maisons. Il ralentit un peu.

— Ce quartier s'appelle le *Plaka,* expliqua-t-il. C'est le centre de la vie nocturne. On y trouve les meilleures auberges. Nous y viendrons aussi, mais pour dîner, cette fois. La musique est excellente, on peut danser.

Après une course folle, il gara enfin son véhicule. Ils se joignirent à un groupe de touristes allemands et américains qui grimpaient la colline vers le temple d'Athéna, l'ancienne déesse. De temps à autre, le guide donnait des commentaires avertis sur l'histoire et la mythologie. Ils s'arrêtèrent quelques instants à l'emplacement des remparts où, selon la légende, le vieux roi Egée s'était installé pour guetter le retour de son fils Thésée. La voile du bateau était noire ; croyant que le minotaure avait eu raison du jeune Thésée, le malheureux roi s'était jeté dans la mer, accablé par le désespoir.

— Continuons seuls, murmura Paul en posant sa main sur l'épaule de Teri. Je sais déjà tout cela, je pourrai vous raconter la suite. De toute façon, vous aurez l'occasion de revenir souvent.

Elle quitta le groupe avec lui, heureuse en fait de pouvoir contempler en silence la silhouette élancée du Parthénon. Bien que corrodée par la pollution, la pierre gardait sa splendeur et sa magie.

— Il faut voir l'ensemble au soleil couchant, reprit le jeune homme en lui montrant un autre temple. Ou à la rigueur, plus tard dans la saison, au moment du son et lumières.

Teri songea soudain combien elle aurait préféré être avec Damien plutôt qu'avec Paul. Elle se surprenait elle-même : le plaisir de la visite n'était-il pas identique, qu'elle se trouvât seule ou accompagnée? Elle avait pourtant pris l'habitude, depuis la mort de David, de ne dépendre de personne et de ne pas privilégier qui que ce soit dans ses sentiments. Son équilibre et son bien-être à elle venaient en priorité; elle avait fait le vœu, le lendemain même de ce jour tragique, de s'endurcir et de ne plus jamais se laisser aller à la passion. Elle avait trop souffert d'aimer son fiancé plus que sa propre vie. On souffrait toujours trop de l'absence ou de la disparition de l'autre...

— Retournons à ce square... dit-elle d'un ton impulsif. Comment l'appelez-vous? Syntagma? Allons voir vos amis.

— Mais nous n'avons pas encore tout regardé, répliqua-t-il, étonné. Il reste le musée, le théâtre de Dyonisos...

— J'en ai assez pour aujourd'hui, insista-t-elle. Je vous en prie.

Il hocha la tête sans rien ajouter et ils quittèrent les lieux.

Ils choisirent une table au fond du café minuscule et déjà encombré. La jeune femme s'amusait beaucoup de voir, par la porte vitrée, la foule multicolore déambuler dans la rue : bourgeoises élégantes, paysannes impassibles en fichu noir, hommes d'affaires pressés... A l'intérieur comme à l'extérieur, tout le monde gesticulait, riait, bavardait à voix haute.

Teri était aux anges; le bruit, le mouvement lui permettaient d'oublier ses propres préoccupations. Les amis de Paul se montrèrent au bout d'un moment. Elle les trouva typiquement américains et fort sympathiques. L'homme, grand et barbu, portait un tee-shirt et l'inévitable jean; sa jeune compagne, enchantée de son premier séjour en Grèce, souriait d'un air ravi.

Après avoir déjeuné, ils s'entassèrent joyeusement dans la voiture de sport. Paul sortit de la ville et choisit de prendre la route du Cap Sounion, qui longeait la côte. Aux stations balnéaires de renom succédaient des anses plus tranquilles, encore intactes. Ils admirèrent au passage les salines d'Anavisos et atteignirent enfin Sounion. Le temple de Poséidon y dressait, au-dessus de la mer, sa blancheur d'une éclatante pureté. Les quatre jeunes gens y attendirent avec émoi l'éblouissant coucher de soleil; il faisait vibrer d'une lumière mordorée les colonnes d'albâtre... Quand la lune se leva enfin, ils reprirent le chemin d'Athènes.

Ils étaient juste à l'heure pour l'ouverture des *tavernas*. Paul les guida dans sa préférée, simple d'aspect, mais où la nourriture se révéla abondante et délicieuse. Après avoir bu le *retsina,* tous se joignirent aux danseurs.

C'était le jour de Pâques. A minuit sonnant, suivant la tradition, ils suivirent la foule en liesse; elle se dirigeait vers le sommet du mont Lycabettus, portant des milliers de bougies allumées qui scintillaient dans la nuit...

Paul et Teri rentrèrent très tard à la villa Nikerios. Ils grimpèrent les marches sans un bruit. La jeune femme se retournait pour souhaiter bonne nuit à son compagnon, lorsqu'il l'enlaça soudain et l'embrassa avec autant de maladresse que d'impétuosité.

— Laissez-moi passer la nuit avec vous, supplia-t-il sans même se donner la peine de baisser la voix.

— Ne faites pas l'idiot! rétorqua-t-elle en se dégageant et en ouvrant sa porte.

— Je suis sérieux, objecta-t-il, tentant en vain de pénétrer derrière elle. Je vous désire profondément, je suis tombé amoureux de vous...

— Vous oubliez une chose, souligna-t-elle froidement. Il se trouve que je suis mariée à un membre de votre famille...

— Pas vraiment. C'est un simple contrat, vous l'avez dit vous-même ; rien qui puisse vous empêcher d'entretenir des relations avec d'autres hommes. D'ailleurs, comment croyez-vous que Damien lui-même se distrait à New York ? Je ne serais pas étonné qu'il y ait une maîtresse...

— Bonsoir.

Elle se glissa dans l'entrée obscure, puis lui ferma la porte au nez, sans lui donner le temps de réagir. Elle tâtonna, sentit une clef et la tourna vivement dans la serrure. Puis elle s'adossa au panneau avec un soupir, certaine que Paul allait protester violemment. Il avait ingéré trop d'alcool au cours de la soirée pour se soucier de l'opinion des domestiques.

Il se contenta d'essayer vainement la poignée en gémissant :

— Ne soyez pas si cruelle, Teri !

— Je ne suis pas cruelle. Je suis épuisée et il me faut une bonne nuit de sommeil si nous voulons partir tôt pour Delphes, demain matin. Vous devriez aller dormir, d'autant plus que vous tenez le volant. Nous nous verrons au petit déjeuner. Bonsoir.

— Bon, d'accord, fit-il enfin d'un ton boudeur. Peut-être avez-vous raison.

— Cela me semble évident.

— Bonsoir, grommela-t-il.

Teri ferma les yeux sans bouger, écoutant le bruit de ses pas décroître dans l'obscurité.

Rassurée, elle ouvrit enfin les yeux et ce qu'elle distingua alors lui glaça le sang dans les veines. Dans l'embrasure de la fenêtre, se découpant sur la clarté relative de la nuit, elle vit la silhouette d'un homme. Trop occupée à renvoyer Paul, elle n'avait pas pris le temps d'allumer la lumière et ne l'avait pas remarquée auparavant. Elle l'observa sans oser respirer, se demandant si son imagination lui jouait des tours. Puis, la silhouette bougea soudain et s'avança vers elle à pas lents.

Elle était pétrifiée; aucun son ne put sortir de sa bouche. Il y eut un déclic, et la pièce s'illumina. Teri comprit soudain. Immensément soulagée, elle s'écria avec volubilité :

— Damien! Que faites-vous ici? Je vous croyais à New York jusqu'à lundi...

— J'ai réussi à me dégager plus tôt. L'avion m'a conduit à Rome, puis j'en ai pris un deuxième pour Athènes. Il était trop tard pour rentrer à Skios, je suis donc venu passer la nuit à la villa. J'avoue être extrêmement surpris de vous y trouver. J'étais déjà endormi quand je vous ai entendue parler avec Paul...

A la lumière de la lampe de chevet, elle remarqua qu'il avait en effet les yeux ensommeillés.

— La gouvernante ne vous a pas dit que j'étais là? s'étonna-t-elle.

— Non. Peut-être a-t-elle présumé que je le savais déjà.

Sa bouche prit un pli ironique.

— A mon tour de vous interroger, reprit-il. Que faites-vous ici, vous-même?

— Votre père nous a suggéré... de visiter Athènes pendant un jour ou deux.

— Je vois. Et comment s'est déroulée la journée?

— Nous nous sommes promenés, nous avons dansé... et surtout nous avons suivi la procession. Je n'avais jamais rien connu d'aussi profondément émouvant...

— Elle est passée sous les fenêtres, je l'ai admirée aussi.

— Si je m'étais doutée... commença-t-elle impulsivement.

Elle s'arrêta aussitôt.

— Doutée de quoi?

— De rien. Aucune importance. Nous avons visité

aussi le cap Sounion, avec deux amis américains de Paul. Demain...

Elle s'interrompit à nouveau.

— Continuez, je vous prie, fit-il. Où irez-vous demain?

— Nous avions décidé... de gagner Delphes, et d'y rester pour la nuit... Mais à présent, ajouta-t-elle en riant nerveusement, il n'en est plus question.

— Pourquoi pas? lança Damien, tout en glissant les mains dans les poches de sa robe de chambre. Ne laissez pas mon retour perturber vos projets. Le fait d'être marié avec vous ne me donne aucun droit de restreindre votre liberté de mouvement. Vous n'êtes pas obligée d'être suspendue à mes basques en permanence...

— Certainement, murmura-t-elle. Cependant, je dois vous avouer que... nous nous sommes servis de votre voiture de sport, aujourd'hui. Et nous avions l'intention de la réutiliser demain. Vous n'êtes pas contrarié, je l'espère...

— Non, tant que vous ne l'abîmez pas et que je n'en ai pas besoin. D'ailleurs, si vous êtes quatre à vous rendre à Delphes, vous seriez aussi avisés d'emprunter la Cadillac de mon père. Elle est plus spacieuse, et il y a tout de même près de cent soixante-dix kilomètres de route. J'en parlerai au chauffeur.

— Merci infiniment, dit Teri avec chaleur, consciente malgré tout d'une sorte de tension entre eux deux.

— Je crains d'avoir un peu trop dansé, reprit-elle avec hésitation. C'est avec plaisir que je vais retrouver mon lit.

Elle commença à parcourir le couloir et il la suivit.

— Vous avez l'air fatigué, vous aussi, ajouta-t-elle en se tournant vers lui à demi. Pardonnez-moi de vous avoir dérangé. Votre voyage de retour s'est bien passé?

— Comme d'habitude, laissa-t-il tomber en éteignant la lumière au passage.

— Alors... bonsoir, conclut-elle.

Elle se dirigea vers la petite chambre où elle avait disposé ses affaires. Elle s'apprêtait à tourner la poignée de la porte lorsqu'il l'arrêta d'une main, et prononça à voix basse :

— Je suis installé dans l'autre, et vous venez dormir avec moi.

Il lui effleura la joue de la sienne et poursuivit d'une voix mélodieuse :

— Vous avez eu raison de refuser la proposition du jeune Paul; vous n'avez pas le droit de refuser la mienne. J'ai payé au prix fort l'honneur de votre compagnie dans mon lit, et je crois vous avoir fait clairement comprendre que j'aime en avoir pour mon argent. Je ne marchande pas.

— Payé? hurla-t-elle en éclatant de fureur.

Elle le dévisagea. Ses yeux noirs luisaient dans l'ombre, lui donnant un aspect plus satanique que jamais. Elle se demanda si sa bouche souriait ou se préparait à mordre...

— Que voulez-vous dire, « payé »? siffla-t-elle d'une voix tendue, en s'efforçant de baisser le ton.

— Déjà oublié, notre contrat? railla-t-il en haussant les sourcils avec une surprise feinte. Oublié que j'ai investi plusieurs centaines de milliers de livres dans une entreprise pour le moins chancelante? Vous comprenez maintenant ce que signifie « payé »?

— Mufle! cria-t-elle, essayant sans succès de dégager sa main pour pouvoir le gifler.

— Ne m'injuriez pas, fit-il d'une voix moqueuse.

Il lui saisit brusquement la tête et l'immobilisa, puis posa ses lèvres brûlantes sur les siennes.

— Ne nous battons pas, Teri, chuchota-t-il. Faisons plutôt l'amour...

— Non. Je...

— Vous êtes trop fatiguée. C'est cela? remarqua-t-il sèchement.

Il laissa descendre ses mains et lui caressa la nuque.

— Trouvez une autre excuse, poursuivit-il. Aujour-d'hui, je ne l'accepte pas. Vous êtes convaincue de ne pas vouloir, mais une fois que vous serez contre moi, que je vous aurai tendrement enlacée, vous me supplie-rez de rester, comme à Londres...

Teri frissonnait; elle fit un effort désespéré pour résister à la séduction de sa présence.

— Donnez-moi quelques minutes... pour me changer, demanda-t-elle d'une voix qu'elle souhaitait froide et déterminée.

— Qui me dit que vous n'en profiterez pas pour fermer la porte à clef? rétorqua-t-il. Pas question.

Il tourna la poignée de la porte et poussa la jeune femme à l'intérieur.

— Un lit en vaut un autre, lança-t-il avec un léger rire.

Il l'attira à lui et la serra avec force dans ses bras.

— Jamais auparavant je n'ai eu une épouse pour m'accueillir après un voyage, murmura-t-il en lui caressant tendrement les cheveux. Souhaitez-moi la bienvenue, Teri...

Bien que sensible à cet appel, elle résistait encore, effrayée des conséquences qu'entraînerait une réponse trop passionnée à son désir.

— Est-ce que je vous ai manqué? interrogea-t-il d'une voix presque imperceptible.

— Absolument pas, mentit-elle, tentant de l'éloigner.

— Désormais, je vous manquerai pendant mes absences, promit-il, le visage enfoui dans son épaule. Je ferai tout mon possible pour cela...

Il se montrait de plus en plus pressant. Le feu de sa sensualité débordait comme la lave d'un volcan. Il parcourait son corps avec frénésie, tandis qu'elle protes-tait faiblement :

— Pas encore, je vous en prie...

Il n'écoutait plus. Tout à coup, elle se sentit fondre sous ses baisers brûlants, et s'entendit pousser un cri de plaisir en se serrant contre lui. C'était cela qu'elle avait tant désiré la nuit précédente : cette liberté de le toucher, de le caresser... Les sensations tout à la fois douces et dévorantes l'enflammaient des pieds à la tête.

Ils se retrouvèrent allongés sur le lit, leurs vêtements éparpillés aux quatre coins de la pièce, gémissant dans l'abandon total de leurs corps entrelacés.

Ils s'endormirent enfin, beaucoup plus tard, tendres et détendus comme deux enfants ayant trop joué, avec un sentiment lénifiant d'innocence et de pureté. Avant de fermer les yeux, Teri aperçut les premières lueurs de l'aube teinter d'argent les murs de la chambre.

La lumière avait tourné à l'or vif quand elle s'éveilla : le soleil était déjà haut dans le ciel.

Quelqu'un frappa à la porte en criant son nom, mais elle était plongée dans une léthargie trop délicieuse pour répondre.

— C'est Paul, murmura Damien d'une voix ensommeillée.

Il déposa un léger baiser sur l'épaule de la jeune femme.

— Vous avez toujours envie de l'accompagner à Delphes?

— Non. Je veux rester avec vous, chuchota-t-elle en se lovant contre lui.

— Voilà qui me semble très raisonnable, madame Nikerios, fit-il d'une voix tendrement moqueuse.

Les yeux grands ouverts à présent, il la contemplait avec admiration, quand les coups redoublèrent.

— Je vais m'occuper de lui, marmonna Damien en se glissant hors du lit.

Il revint au bout de quelques minutes et s'allongea auprès d'elle.

— Que lui avez-vous dit? demanda-t-elle.

— Je lui ai expliqué que vous ne pouviez pas vous joindre à eux, parce que nous allions partir en voyage pour notre lune de miel.

— Vraiment? s'exclama-t-elle, se soulevant sur un coude pour le regarder.

Elle ouvrait de grands yeux, inconsciente de la séduction de sa pose languissante. Un rayon de soleil jouait dans ses cheveux blonds, épars autour de son ravissant visage auréolé de lumière.

Les mains croisées sous la tête, il lui adressait des regards brûlants.

— C'est bien par une lune de miel que les couples débutent leur mariage, n'est-ce pas? souligna-t-il.

— Mais seulement s'ils sont amoureux...

— Ne le sommes-nous pas?

Elle considéra d'un air pensif le corps ferme étendu à côté d'elle, la large poitrine dont l'étreinte se révélait si douce, les mains expertes...

— Ce n'est pas de l'amour, fit-elle à voix basse. Nous ne nous connaissons pas assez bien.

Elle détourna la tête et serra les poings en s'efforçant de lutter contre l'attirance qui la poussait vers lui.

— Vous pensez ne pas pouvoir aimer quelqu'un que vous ne connaissez pas, c'est bien cela? interrogea-t-il.

— Oui.

— Il n'en va pas de même pour moi, dit-il rêveusement. Il me suffit d'un regard...

— Vous confondez, protesta-t-elle d'une voix haletante. Vous confondez l'amour avec... le désir purement physique.

— Ce désir est le commencement de l'amour, chuchota-t-il en l'enlaçant à nouveau. N'est-ce pas merveilleux, d'être ainsi ensemble?

— Si... admit-elle en succombant à son baiser voluptueux.

5

Deux mois plus tard, Teri était assise au bord de la piscine, à Skios, et lisait une lettre de son jeune frère Dick. Le ton légèrement désinvolte de la missive suscitait sur les lèvres de la jeune femme un sourire affectueux.

Ses examens s'étaient déroulés sans problème; l'honneur de la famille était sauf. Il espérait travailler bientôt dans la maison d'édition. Il s'était brillamment distingué en sport, surtout en course. Viendrait-elle l'admirer en compétition? Il avait lu dans un journal, par ailleurs, que Damien Nikerios était un ancien champion olympique de marathon; il avait rapporté à la Grèce plusieurs médailles.

Elle posa la lettre et fronça les sourcils. Damien, un ancien champion de course? Il n'en avait jamais fait mention. Sauf... cette remarque quand il avait poursuivi le pickpocket, à Londres : « Vous devez courir vite », avait-elle suggéré. Il avait répondu négligemment : « Pas autant qu'autrefois... »

Elle s'allongea et ferma les yeux. Le soleil de juin était si fort qu'elle devrait bientôt se réfugier à l'intérieur. L'air embaumait des odeurs enivrantes des pins, de la mer et des fleurs.

Oui, Damien était un athlète. A présent cela lui paraissait évident : sa musculature parfaite, sa passion de la nage et de la danse durant leur lune de miel s'expliquaient.

Mais il n'en avait jamais parlé. En fait, il se confiait si peu qu'elle n'en savait pas plus à la fin de leur croisière qu'au début.

Cependant, ces deux semaines de voyage en yacht — leur « lune de miel » — s'étaient admirablement bien passées. Elle s'en souviendrait toujours avec un sentiment de paix, de bonheur profond.

Ils avaient visité plusieurs îles de la mer Egée. Les images défilaient devant ses yeux : Delos et ses temples de marbre, ses mosaïques exquises; Naxos aux vertes terrasses, découpant sur le ciel les blanches coupoles de ses demeures; Rhodes avec son ancienne forteresse aux tons ocres, dominant une mer turquoise, et le délicieux petit port de Mandraki, encadré de tours jumelles, où ils avaient coulé des heures enchanteresses...

Les îlots moins connus lui causaient une émotion particulière. La chaleur de leurs habitants, la nourriture généreuse et le vin grec se mêlaient dans son esprit à la passion sensuelle qui les avait embrasés. Ils y avaient fait l'amour avec abandon et avidité. Comme s'il voulait s'assurer de son pouvoir sur elle, songeait-elle en éprouvant un certain ressentiment...

Leur relation était purement physique; elle commençait à s'accoutumer à cette idée. Elle regrettait au fond qu'il n'en fut pas autrement, qu'il n'y eut pas autre chose... et elle faisait des efforts désespérés pour ne pas y penser. Après tout, il l'avait en quelque sorte « achetée ». Elle était sa possession et il la traitait comme telle. Situation humiliante, difficile, mais elle ne durerait pas, elle prendrait fin... dès la rupture prévue par Teri.

En attendant, elle jouait le jeu. Il séparait nettement l'acte physique des émotions, des sentiments; elle l'imitait.

A sa grande surprise, ce n'était pas à la villa Nikerios

qu'ils s'étaient installés à leur retour à Athènes. Il l'avait amenée dans une maison plus petite, élégante et confortable. L'architecture gracieuse, l'aménagement et les jardins avaient énormément plu à la jeune femme. Elle lui avait fait part de son admiration.

— Elle est à vous, avait-il dit simplement.

— A vous également!

— Non. C'est uniquement la vôtre.

— Mais...

— Je vous l'offre comme présent de mariage... un peu tardif. Elle vous appartient; si vous la vendez, vous en garderez les bénéfices, avait-il ajouté froidement.

— Cependant, vous y vivrez aussi, n'est-ce pas? s'était-elle exclamée.

— De temps à autre, lorsque j'aurai envie de votre compagnie...

Une lueur de désir dans les yeux, il s'était penché pour l'embrasser.

— Ainsi maintenant, par exemple, avait-il murmuré.

« De temps à autre », viendrait-il désormais la rejoindre... Les choses étaient claires : elle était une maîtresse, pas une épouse.

Toujours allongée, Teri reprit la lettre qui était tombée sur le sol. A quelle date avait donc lieu la compétition où Dick l'invitait? D'ici deux semaines. Elle décida de s'y rendre. C'était un prétexte idéal pour quitter la Grèce. Elle ne reviendrait pas et resterait à Londres. Si Damien voulait la voir, il pourrait toujours faire le voyage lui-même; et elle refuserait probablement de rentrer avec lui. Elle ne supportait plus ce statut de femme entretenue.

— Tiens! Teri! Quelle chance de vous trouver ici! Comment allez-vous?

La voix gaie et moqueuse était celle de Paul. La jeune femme se leva pour l'embrasser.

— Attention! lança-t-il en riant. Melina nous

observe. Elle a raconté à Damien l'histoire de la piscine; il a piqué une colère mémorable contre moi.

— Elle peut dire tout ce qu'elle veut, rétorqua Teri. Cela m'est égal. Quel bon vent vous amène? Je vous croyais en train de faire vos premières armes sur un paquebot Nikerios...

— J'en viens, laissa-t-il tomber.

Il s'affala avec nonchalance sur l'autre chaise longue. Dans son jean et son tee-shirt, il avait une mine superbe. Il était difficile de croire qu'il avait seulement deux ans de plus que Dick : il paraissait tellement plus âgé, tellement plus mûr! Et il était indubitablement beaucoup plus expérimenté...

— D'ailleurs, reprit-il en grimaçant un sourire, votre mari y est certainement pour quelque chose. Il a dû juger plus sage de m'éloigner pendant quelque temps... Où se trouve-t-il à présent?

— En Arabie Saoudite, pour je ne sais quelles négociations de transport pétrolier.

— Il ne vous a pas emmenée?

— Il ne me l'a pas proposé. Le travail de marin vous a plu?

— C'est dur, extrêmement dur. Mais je commence à comprendre que c'est une mise en condition nécessaire si je dois devenir l'un des dirigeants de la compagnie, un jour ou l'autre.

Son sourire s'élargit.

— Voilà du moins ce que j'ai raconté à ma mère... Elle vous envoie d'ailleurs tous ses vœux pour votre union avec Damien. Elle va rendre visite à grand-père à la fin de l'été. Ma tante et ses filles seront là également. Les avez-vous déjà rencontrées?

— Il s'agit de votre tante Katina, n'est-ce pas? Elle nous a invités à une soirée, à notre retour de croisière. J'ai été présentée à toute la famille...

— Je vois. Ils sont tous très satisfaits du mariage de Damien. Surtout grand-père... Damien doit se féliciter de son habileté. Il a su « jeter de la poudre aux yeux du vieil homme », comme dit maman...

— Je ne comprends pas.

— C'est dommage pour vous, répliqua-t-il d'un ton exaspérant.

Il s'adossa et ferma les yeux.

— Quel soleil... un peu de repos sera le bienvenu.

— Paul, lança Teri d'un ton impérieux. Je vous somme de m'expliquer les paroles de votre mère.

Il lui adressa un sourire moqueur.

— Je croyais me rappeler pourtant que vous ne vouliez plus entendre parler de Damien et de Melina, fit-il d'un ton traînant. La vérité, en outre, pourrait ne pas vous plaire...

— Quelle vérité? Une fois pour toutes, soyez clair, je vous prie!

— O.K., laissa-t-il tomber avec un soupir factice. Personne ne pensait que le fils de Stephanos finirait par se marier. Ce fut la surprise totale. D'après Andrea, il vous a épousée pour une raison bien précise : empêcher grand-père de s'apercevoir qu'il était l'amant de Melina.

— Vous mentez, protesta la jeune femme.

— Non. Elle a vraiment dit cela mot pour mot. Au début j'avais des doutes, puis j'ai vu et entendu des choses telles en arrivant ici...

— A quoi faites-vous allusion? demanda-t-elle d'une voix glaciale.

— Eh bien, j'ai remarqué comme vous que Melina accaparait Damien sans arrêt. Elle l'attirait dans sa chambre sous le prétexte de discuter les problèmes de santé de Stephanos; plusieurs fois, il n'est rentré chez lui qu'à l'aube. Mais le plus important, le voici; des querelles très violentes ont éclaté, entre votre mari et son père.

— Des querelles... à quel sujet?

— Principalement le célibat de Damien, son habitude de tourner autour des femmes des autres... comme si le vieil homme avait deviné pour Melina, également...

— Qu'a répondu Damien?

— Il n'a rien avoué, mais il a réclamé le droit de mener sa vie comme bon lui semblait, sans interventions extérieures. C'est alors que grand-père a jeté sa bombe ; « Si tu ne te maries pas dans l'année, a-t-il crié, et que tu n'as pas d'héritier, je te coupe les vivres. Tu ne travailleras plus pour la corporation Nikerios, et je ne te laisserai rien, tu m'entends, pas un sou! » Ils faisaient un bruit d'enfer, tous les deux. Finalement, Damien est parti en claquant la porte. Stephanos est tombé malade. Il n'est sorti de son lit qu'après avoir reçu la nouvelle du mariage. Son émotion était bouleversante.

Il s'arrêta, adressant à Teri un regard filtrant.

— Alors... aurais-je inventé tout cela? reprit-il.

— Non... non, bien sûr.

Elle gardait la tête baissée. Ces révélations éclairaient d'un jour nouveau ce qu'elle-même avait supputé parfois : ce mariage hâtif, avec une jeune femme rencontrée à une table de roulette...

— Etes-vous triste, ou blessée? interrogea-t-il d'une voix pleine de sympathie. Après tout... vous ne l'avez pas épousé par amour, n'est-ce pas?

Elle releva le menton.

— Je me sens très bien, affirma-t-elle d'un ton léger. Cette chaleur est vraiment étouffante, simplement. Combien de temps comptez-vous rester?

— Quelques heures seulement. Je suis juste venu remettre à grand-père les messages d'Andrea. Je rentre à Athènes dès ce soir.

— Moi aussi, dans ce cas, dit-elle en sautant sur ses pieds.

Elle eut un léger rire :

— De cette manière, Melina aura largement de quoi « rapporter », au retour de Damien.

— Quand sera-t-il ici?

— Jeudi ou vendredi, je ne sais pas exactement, fit-

Pour toutes celles qui aiment
4 grands succès

**Chez vous, chaque mois,
6 chefs-d'oeuvre du roman d'amour**

Rien ne peut remplacer un roman HARLEQUIN pour meubler vos temps libres, pour vous évader, pour vivre des aventures merveilleuses.

Maintenant, vous pouvez recevoir chez vous, six nouveaux romans HARLEQUIN, dès leur parution chaque mois. Ainsi, vous êtes sûre de ne pas en manquer un seul. Vous pouvez donc satisfaire votre goût de la lecture, au rythme qui vous convient.

Mieux encore: nous vous donnerons en CADEAU 4 romans passionnants. Vous n'avez qu'à poster sans tarder le certificat ci-contre pour les recevoir au plus tôt.

Un abonnement HARLEQUIN...le moyen idéal de partager le destin de femmes et d'hommes qui veulent vivre leur vie et qui croient à l'amour.

Votre cadeau GRATUIT:

- Chimères en Sierra Leone
  par Kay Thorpe
- L'île aux mille parfums
  par Violet Winspear
- Dans l'antre du fauve
  par Anne Mather
- Le prix du mensonge
  par Roberta Leigh

SERVICE DES
LIVRES HARLEQUIN
STRATFORD (Ontario)

ou qui aimeraient aimer...
Harlequin GRATUITS

Faites venir ces 4 volumes GRATUITS (valant $7.00)

Le prix du mensonge: Trois semaines sur un yacht luxueux! Mais le rêve devient cauchemar lorsque Laurelle comprend que l'on se joue d'elle. Comment retrouver sa liberté sans perdre son amour? **L'île aux mille parfums:** Sur une île enchanteresse, une femme est prête à tout pour conquérir un homme hanté de souvenirs douloureux. Mais survient une autre femme, claire, limpide... **Dans l'antre du fauve:** Helen est devenue prisonnière de Dominic et de son léopard, dans un pays de neige. Elle n'a plus qu'un désir: la liberté. Mais elle a compté sans l'amour! **Chimères en Sierra Leone:** Dans un petit pays d'Afrique, un homme dirige une mine de main de maître. Survient Kim, à la recherche de son fiancé. Saura-t-elle faire le bon choix entre les deux hommes?

elle négligemment, glissant son bras sous celui du jeune homme.

Ils se dirigèrent vers la maison. Teri remarqua la silhouette de la Grecque; elle les guettait derrière une vitre.

— C'est un réel plaisir de vous voir, Paul, poursuivit-elle en élevant la voix. Nous allons bien nous amuser, n'est-ce pas? Vous m'amènerez danser à la Plaka, comme la dernière fois...

Elle savait que quelque part, dans l'ombre fraîche de la vieille demeure, ses paroles étaient enregistrées par une oreille attentive...

Son plan se déroula à la perfection. Elle prétexta une migraine pour refuser de suivre Paul, le soir, dans la *taverna* athénienne. Le lendemain matin, elle réserva un aller simple pour Londres. Lorsque Damien débarquerait d'Arabie Saoudite, elle se trouverait déjà dans l'avion. L'esprit clair et lucide, elle lui rédigea une lettre d'adieu où elle s'expliquait froidement.

« Je connais à présent vos raisons pour « acquérir » une femme, écrivait-elle. Il m'est impossible de continuer à vivre avec vous dans ces conditions. Je n'aurais pas cru possible qu'un fils puisse traiter son père de façon aussi bassement calculatrice; je vous vois soudain comme un être méprisable. Je vous quitte : il vous sera loisible d'arranger notre divorce suivant le contrat dont nous avons convenu. J'espère ne jamais vous retrouver sur mon chemin. N'essayez pas de me contacter. »

Une telle missive le découragerait de tenter quoi que ce soit pour la retenir. Elle en était sûre; il était beaucoup trop fier. Quant à elle, aucun regret ne la traversait. Du moins, pas encore, songeait-elle alors que l'avion survolait les derniers faubourgs de la capitale grecque... En outre, deux personnes au moins se féliciteraient de son départ; Melina, d'abord, et ensuite sa mère, Bridget Hayton.

Cependant, ce ne fut pas sans appréhension qu'elle

sonna à la porte de la maison de Richmond. Peut-être sa mère refuserait-elle de l'accueillir... Mais un seul coup d'œil sur le visage de Bridget fit comprendre à Teri qu'elle avait tort de s'inquiéter.

— Teri, oh, Teri, je suis si heureuse de te voir! s'exclama Mme Hayton, se précipitant dans les bras de sa fille et fondant en larmes.

— Je n'aurais jamais dû te parler comme je l'ai fait, au téléphone, ajouta-t-elle peu après.

Elles s'étaient confortablement installées dans le salon. Les fauteuils étaient un peu vieux mais moelleux; des rayonnages, le long des murs, croulaient sous les livres, et deux larges fenêtres Regency s'ouvraient sur une pelouse qui descendait en pente douce jusqu'à la Tamise.

— J'ai souvent regretté ma conduite, poursuivit la mère de Teri. Il faut dire que c'était un tel choc d'apprendre ton mariage! Il a été accompli si soudaine-ment, et dans de telles conditions...

— Je sais, répondit Teri d'une voix apaisante. J'au-rais dû aussi te prévenir plus doucement; malheureuse-ment, Damien était pressé, l'avion attendait... Enfin, à présent, tout est terminé.

— Terminé? s'exclama Bridget, abasourdie.

Un air exaspéré se peignit sur son visage : expression familière à sa fille, et que l'on pouvait lire sur le visage de Mme Hayton chaque fois qu'elle devinait que son mari ou Teri avaient commis un acte impulsif et parfaitement illogique.

— Que t'est-il encore passé par la tête? grommela-t-elle en s'adossant à la cretonne fleurie qui couvrait le fauteuil.

— Je l'ai quitté, annonça Teri.

Elle se leva d'un geste vif et se dirigea vers la fenêtre, les mains profondément enfoncées dans les poches de son tailleur. Le soleil était bas sur l'horizon, déjà presque invisible. Entre les branches des saules, la

Tamise brillait comme de l'or liquide sous les derniers rayons. Quelle heure pouvait-il être en Grèce? se demanda la jeune femme. Elle se livra à un rapide calcul mental, et conclut que Damien devait être rentré à Skios. Probablement bavardait-il avec Melina, ou même dormait-il avec elle... La jalousie l'étreignit soudain à la gorge. Elle respira profondément.

— As-tu vraiment quitté ton mari? interrogea Bridget d'une voix plaintive.

— Oui.

— Mais vous n'avez été mariés que depuis...

— Deux mois et demi, coupa Teri. Je n'avais pas du tout l'intention de partir si vite, je pensais rester environ une année... Seulement, je me suis rendu compte que la situation était insupportable...

Sa voix tremblait malgré elle. Elle reprit :

— Alors, je... j'ai sauté sur la première occasion pour revenir à Londres.

— Insupportable? Dans quel sens? Tu ne veux pas dire qu'il est le genre d'homme cruel avec les femmes...

— Non, rassure-toi, assura Teri en souriant. Au contraire, il s'est montré très gentil et extrêmement généreux.

— En ce cas, pourquoi? insista Bridget.

— Maman, tu sais parfaitement pour quelles raisons je l'ai épousé, expliqua sa fille d'un ton légèrement impatient. Pour qu'il abandonne la dette de papa. J'étais consciente que ce mariage d'intérêt ne durerait pas; j'en ai un peu précipité la fin, voilà tout.

— Et ton mari est d'accord pour se séparer?

— Je l'ignore. Je ne l'ai pas attendu pour lui poser la question. Je pense qu'il acceptera.

— Cette histoire est bien troublante, soupira Mme Hayton en ébouriffant machinalement ses cheveux blonds parsemés de mèches grises.

— Es-tu sûre, Teri, de ne pas avoir rompu le contrat du mariage en t'enfuyant ainsi? reprit-elle.

— Je ne crois pas, murmura la jeune femme, soudain épuisée. Je n'en ai aucune idée. Nous verrons...

Elle s'interrompit et ajouta d'une voix imperceptible :

— Je n'ai pas pu agir autrement, ayant appris ce qu'il voulait en m'épousant, certains traits de sa conduite...

— Tu ne te montres guère explicite, gémit sa mère. Comment puis-je jamais te comprendre, si tu ne t'exprimes pas plus clairement? A mon avis, de toute façon, j'avoue ne pas être surprise par la tournure des événements. Si tu avais épousé cet homme par amour, tu ne l'aurais pas abandonné pour le simple fait anodin de désapprouver certaines de ses actions!

— Ces « actions », comme tu dis, lança sèchement Teri, consistent à m'avoir demandée en mariage pour cacher sa liaison avec la troisième femme de son père. Voilà! Serais-tu restée avec cet homme, même si tu l'aimais?

Bridget poussa une exclamation horrifiée.

— Mon dieu! C'est épouvantable. C'est pire que ces tragédies grecques que ton père adorait aller voir au théâtre!

— Tout de même pas, répliqua sa fille, souriant malgré elle de la comparaison. Mais cela aurait pu mal tourner. En ce qui me concerne, il n'était pas question de participer, fût-ce involontairement, à cette tromperie envers un vieil homme. Certes, il s'agit d'un véritable renard; il a bâti sa fortune en en trompant bien d'autres. Cependant, ce n'est pas une raison!

— Tu as réagi avec bon sens, affirma vigoureusement Mme Hayton. Nous n'avons rien en commun avec ces gens-là, et nous refusons de nous associer avec eux. Je ne comprends pas comment Alex a pu les fréquenter. J'espère en tout cas que cet homme ne va pas te créer des ennuis, Teri.

— Sincèrement, cela m'étonnerait.

Elle avait vu juste; Damien ne se montra pas et n'écrivit pas directement. Il lui fit malgré tout parvenir un message par Me Fenton, l'avocat. Damien Nikerios s'engageait à ne pas venir la voir, à moins qu'elle ne l'y invitât elle-même. Il ne lui demandait pas non plus de rentrer en Grèce, et, afin de lui être agréable, il s'était arrangé pour virer régulièrement sa pension dans une banque londonienne.

— Et... le contrat? demanda-t-elle d'une voix hésitante. Est-il toujours valable?

— M. Nikerios ne l'a pas mentionné, répondit Me Fenton en lui adressant un regard glacial. Vous vous inquiétez au sujet de ses investissements dans l'entreprise Hayton, je suppose?

— Oui, c'est cela, fit-elle avec raideur, secrètement humiliée.

— Rassurez-vous. Je vous rappelle — si par hasard vous l'aviez oublié — qu'une clause couvre la situation présente; en cas de séparation, M. Nikerios n'a aucun droit de réclamer le paiement de la dette de votre père. Ceci vous satisfait?

La jeune femme se sentit rougir sous le regard ironique de l'homme de loi. Visiblement, Me Fenton avait choisi son camp.

Le jour suivant, elle se rendit à la maison d'édition et fit part à Harry Cogswell, son ancien supérieur hiérarchique, de son désir de retrouver son poste.

— Impossible, dit-il d'un ton ferme. J'ai engagé quelqu'un d'autre. Un diplômé d'Oxford, tout à fait compétent. Cela ne va déjà plus avec votre mari?

— Exactement. J'ai besoin de travailler.

— Allons donc! Je suis certain qu'il vous verse une pension alimentaire confortable...

— Là n'est pas le problème, Harry, insista-t-elle, sans révéler qu'elle n'avait pas l'intention d'utiliser l'argent de Damien.

— C'est surtout que le travail me manque, continuat-elle. Ne pouvez-vous me trouver une petite place quelconque? Après tout, je possède des parts dans l'entreprise...

— Bon, je vais voir. Je vous ferai signe dans quelques jours.

En attendant, elle se rendit avec sa mère à la compétition dont Dick lui avait parlé. Il remporta brillamment le marathon, et se montra extrêmement déçu de la séparation de sa sœur et de son mari.

— Quel dommage, protesta-t-il. Moi qui comptais passer des vacances en Grèce...

— Je suis désolée, murmura-t-elle.

Elle s'appuya au mur; tout à coup, elle se sentit envahie de vertiges et de nausées. Que lui arrivait-il?

Les crises se renouvelèrent. Saisie de panique, elle prit rendez-vous à la clinique. Le diagnostic tomba : elle était enceinte. Elle aurait dû le prévoir... elle n'en parla à personne, réfléchit jusqu'à l'épuisement et décida finalement de mener sa grossesse à terme, se refusant à envisager toute autre solution.

Mais où pourrait-elle se cacher les derniers mois? Il lui fallait trouver un travail à la campagne, de façon à garder son secret jusqu'à la naissance. Elle éplucha les annonces des journaux et ne découvrit rien de satisfaisant. Enfin, un jour, Harry Cogswell lui téléphona.

— Connaissez-vous Miles Trinton? demanda-t-il.

— Oui. C'est un spécialiste de l'antiquité. Nous avons publié son premier ouvrage, il y a quelques années.

— Bien. Voilà ce dont il s'agit : il en prépare actuellement un second, et il aurait besoin d'aide pour mettre au point les notes et l'index. Cela vous intéresse? Naturellement, vous devrez vous rendre chez lui, en Ecosse; il vous hébergera jusqu'aux environs de Noël. Sa femme et lui sont très sympathiques, vous verrez.

— Je suis d'accord, Harry. Quand m'attendent-ils?

— Le plus tôt possible. Vous avez un crayon? Je vous donne l'adresse.

Enchantée, Teri prit le train dès le lendemain pour Dumfries. Helen Trinton l'attendait à la gare. C'était une femme avenante, aux cheveux gris, vêtue d'un tailleur de tweed bien coupé. Elle tenait en laisse deux labradors.

— Je suis très heureuse de vous rencontrer, expliqua-t-elle en sortant la voiture du parking. Nous connaissions fort bien Alex. Il parlait souvent de vous. Sa perte nous a profondément touchés.

— Merci, fit chaleureusement la jeune femme.

Une pluie fine couvrait le paysage d'un voile opaque.

— Vous habitez loin de la ville? demanda-t-elle.

— A une trentaine de kilomètres, sur la côte. En fait, il s'agit d'une vieille demeure familiale qui nous sert d'ordinaire de maison de campagne. Mais depuis que Miles travaille sur son livre, nous n'en avons pas bougé; c'est plus tranquille. A mon avis, cela vous plaira.

— Y a-t-il... un hôpital, à Dumfries? s'enquit Teri d'un ton neutre.

Helen ralentissait à l'approche d'un feu rouge.

— Oui, bien sûr, répondit-elle. Pourquoi donc?

— Oh, juste pour me rendre compte... Quelle est cette statue?

— C'est le poète national écossais, Robert Burns. Il vivait tout près d'ici, au XVIIIᵉ siècle. Vous savez, la région est riche de vestiges historiques et d'hommes célèbres: à Kirbean, par exemple, est né John Paul Jones, qui a fondé la marine américaine...

La jeune Anglaise n'écoutait plus que d'une oreille la voix aux accents chantants. Absorbée dans ses pensées, elle comparait la grisaille des maisons et de la brume avec la lumineuse blancheur de la Grèce. Sa propre villa, à Athènes, était tellement plus resplendissante... Soudain, elle se mordit les lèvres. Qu'allait en faire Damien? La vendre et lui en envoyer les bénéfices?

La voiture s'était engagée sur une petite route sinueuse. Elle commençait à avoir la nausée. Elle s'apprêtait à solliciter un bref arrêt lorsque Helen ralentit et stoppa devant un grand cottage de pierres grises. Des lumières brillaient aux fenêtres.

Miles Trinton, un grand homme mince, lui serra vigoureusement la main en l'observant d'un regard inquisiteur.

— Vous êtes livide! s'exclama-t-il. Comment vous sentez-vous?

— J'ai un peu mal au cœur, c'est tout. Cela va passer.

— Helen a une conduite sportive, dit-il avec un grand sourire. Elle a dû vous malmener dans les virages... Bienvenue à la fille d'Alex Hayton!

Le couple fit tout son possible pour mettre Teri à l'aise. Ils l'installèrent dans une ravissante petite chambre, sous les toits, dont les fenêtres donnaient sur la baie. Le mobilier ancien lui plut beaucoup.

Le cottage était admirablement situé, au sommet d'une colline aux pentes douces, couvertes de pâquerettes, de coquelicots et de boutons d'or. En contrebas, une plage de sable fin et clair bordait la mer.

Les jours s'écoulaient agréablement dans une ambiance studieuse. Quand elle ne travaillait pas, la jeune Anglaise se promenait longuement. L'été s'avérait chaud et splendide, le ciel d'un bleu immaculé. La période des nausées s'acheva, et Teri retrouva une santé parfaite. Les joues roses, les yeux brillants, elle avait une mine superbe.

Cependant, elle craignait de ne pouvoir dissimuler longtemps sa grossesse à ses nouveaux amis. Au début du mois d'août, elle commença à sentir les mouvements du bébé; une visite à l'hôpital devenait indispensable. Ne voyant pas comment se rendre à Dumfries par ses propres moyens, elle prit son courage à deux mains et révéla la vérité aux Trinton.

Abasourdie, Helen posa sur la table sa tasse de thé matinale.

— Nous ne savions même pas que vous étiez mariée, s'écria-t-elle. Vous ne portez pas d'alliance ?

La jeune Anglaise montra une mince chaîne d'or à son cou. Elle y avait suspendu l'anneau.

— Elle est ici, expliqua-t-elle.

Les questions continuaient à fuser.

— Où se trouve votre mari ? Qui est-ce ? interrogea Mme Trinton.

— Il... nous sommes séparés, avoua Teri.

— Est-il prévenu, pour l'enfant ? intervint Miles.

— Non. Je ne veux pas qu'il l'apprenne... Personne n'est au courant, pas même ma mère, et je vous serais reconnaissante de ne pas le révéler. La naissance est prévue vers fin décembre ; je... je serai encore ici à ce moment-là, du moins si cela ne vous ennuie pas...

— Au contraire, assura Helen. D'autant plus que mon mari aura toujours besoin de votre aide. Malgré tout...

Elle chercha ses mots, l'air un peu embarrassé.

— Sans vouloir vous contrarier, j'aimerais vous demander... Votre mari est bien le père de l'enfant, n'est-ce pas ?

— Oui.

— Alors, je pense vraiment qu'il faut le lui dire.

— Jamais ! Je... c'est impossible. Il m'enlèverait l'enfant.

— Mon dieu ! Mais qui est ce monstre ?

Soudain, n'en pouvant plus, Teri se livra. Elle raconta tout : la dette contractée par son père, ses propres folies à la roulette, son mariage et les raisons de son départ. Ils écoutèrent avec attention et patience, sans l'interrompre, tirant leurs conclusions personnelles en voyant s'adoucir le visage de la jeune femme lorsqu'elle parlait de Damien.

— Il est regrettable, murmura Miles, que vous n'ayez pas attendu son retour, afin de lui demander si le jeune Paul ne s'est pas trompé. Tout accusé a le droit de se justifier, de se défendre ; tant que l'on n'amène aucune preuve, il est présumé innocent. Cela dit, faites-nous confiance.

— Dans l'éventualité d'un accouchement problématique, ajouta sa femme, nous autorisez-vous à alerter quelqu'un ?

— Seulement ma mère, en cas de nécessité absolue.

— Elle risque d'être bouleversée, objecta son interlocutrice. Il vaudrait mieux lui écrire, avant, que vous êtes enceinte. Elle sera préparée...

— Je lui enverrai une lettre les dernières semaines, admit Teri.

— Et ensuite ? Quels sont vos projets ?

— Après la naissance... je ne sais pas encore, sourit la future mère. Je verrai le moment venu...

Elle s'exprimait avec une insouciance teintée de hardiesse.

6

Dans les derniers jours de décembre, Teri entra à l'hôpital et subit une césarienne. Le gynécologue avait vivement recommandé l'opération.

— Vous êtes bien étroite pour accoucher, avait-il expliqué, reprenant les paroles de Stephanos. La césarienne sera plus profitable, à vous comme au bébé.

Malgré son anxiété, la jeune femme avait accepté. Il n'était pas question de perdre l'enfant de Damien.

Par un clair matin couvert de givre, elle s'éveilla donc des brumes de l'anesthésie. Une infirmière souriante lui annonça qu'elle était la mère d'un « beau garçon » vorace et gigotant.

Elle amena le bébé et l'installa dans un berceau près du lit. Teri se souleva avec une grimace de douleur et se pencha pour l'observer. Le minuscule petit être dormait paisiblement, les poings serrés contre sa bouche. Des boucles de cheveux bruns et soyeux contrastaient avec la blancheur de l'oreiller. Il ressemblait à son père : Damien n'aurait aucun doute qu'il s'agissait de son fils. S'il le voyait jamais...

Elle se rallongea et considéra le plafond. C'en était fini de ses épreuves. Une fois encore, elle avait survécu grâce à son endurance. Dommage que Stephanos ne le sache pas... et Damien! Mais personne ne pouvait le leur apprendre.

Des larmes jaillirent soudain et coulèrent le long de ses joues. Seule sa fierté l'avait soutenue durant ces longs mois, lui avait permis d'endurcir ses sentiments contre son mari. A présent, cette rigueur s'effritait. Quel droit avait-elle de l'avoir maintenu dans l'ignorance ? De quel droit l'y maintenait-elle encore ? Comme elle regrettait qu'il ne soit pas à côté d'elle, pour partager la joie d'avoir cet adorable bébé... Plusieurs fois, pendant sa grossesse, elle avait désiré éperdument qu'il vienne la chercher, et l'emmène avec lui, en Grèce ou ailleurs !

— Eh bien, qu'est-ce qui ne va pas ? demanda l'infirmière en entrant dans la pièce.

— Je voudrais que Damien sache, murmura Teri. J'aimerais qu'il voie son fils...

— Qui est Damien ?

— Mon mari.

— Il se montrera certainement à l'heure des visites, dit la femme d'un ton paisible, tout en prenant le pouls au poignet de la jeune mère.

— Non. Il... il habite à l'étranger, et ne fera pas le voyage sans mon autorisation.

Elle se mit à sangloter nerveusement.

— Allons, ordonna l'infirmière, il faut faire un somme, maintenant. Votre pouls est beaucoup trop rapide. Ce petit garçon a besoin de quelqu'un pour s'occuper de lui. Il n'a pas encore de nom, d'ailleurs. Vous y avez songé ?

— Quel jour sommes-nous ? chuchota l'autre, essuyant ses joues, pleine de remords de s'être laissé abattre.

— Le vingt-sept décembre. Votre bébé est né à neuf heures, ce matin. C'est une date qu'il ne faudra plus oublier !

L'anniversaire de Stephanos tombait la veille, le vingt-six, la Saint-Stéphane au calendrier.

— Je vais l'appeler Steph... Stephen.

La nurse fit un grand sourire et hocha la tête.

— Bien, approuva-t-elle. Vous vous ressaisissez.

Teri et son fils quittèrent l'hôpital deux semaines plus tard, en parfaite santé. Helen et Miles Trinton les raccompagnèrent au village, Auchenbriggs, et installèrent un berceau dans une petite chambre attenante à celle de la jeune femme.

Celle-ci trouva à son chevet des lettres et des présents de la part de Bridget et de Dick. Personne d'autre n'avait écrit. Pourquoi Damien aurait-il envoyé quoi que ce soit? Il ne savait rien de l'événement...

Elle s'efforça de maîtriser sa déception, attribuant son désir de revoir son mari à une légère dépression postnatale. Tout en continuant à collaborer avec Miles, elle se consacrait entièrement au nouveau-né. Vers la fin du mois de janvier elle en avait terminé avec l'index et les notes de l'ouvrage. Le manuscrit était prêt. Il fut décidé que Helen et Miles Trinton descendraient à Londres pour le remettre à l'éditeur; par la même occasion ils conduiraient Teri et son bébé à Richmond. La jeune Anglaise téléphona à sa mère et lui annonça son arrivée, pour une durée indéterminée. Ses projets n'allaient pas plus loin.

La veille de leur départ elle se mit en devoir de préparer ses bagages. L'après-midi était si beau qu'elle avait installé le landau de Stephen sous la véranda. Par la porte grande ouverte l'air tiède et le soleil pénétraient à flots. Helen était partie faire quelques achats de dernière minute à Dumfries, et Miles avait disparu dans les profondeurs de la maison, probablement débordé lui aussi par les ultimes détails du voyage.

Teri emplissait la valise de vêtements sans se hâter; la fenêtre l'attirait comme un aimant, tant ce jour-là, le paysage était splendide. La vue portait jusqu'à l'horizon, cette couronne de montagnes bleutées de l'autre côté de la baie... La marée était basse, laissant paraître des traînées de sable et d'algues d'un brun sombre, mêlé de gris et de vert, dont l'harmonie enchantait le regard.

— Teri? appela une voix.

Quelques coups sur le panneau, et Miles entra dans la pièce.

— Que se passe-t-il? demanda-t-elle. Stephen pleure?

L'écrivain lui jeta un coup d'œil amusé. Il reprit son souffle et sourit avec une expression d'impatience excitée tout à fait inhabituelle chez lui.

— Non, répondit-il. Du moins, je ne l'ai pas entendu. Mais il y a une visite pour vous.

— Tiens! qui donc?

Probablement un voisin, songeait-elle. Tous n'avaient pas encore admiré le nouveau-né.

— Vous verrez, fit-il d'un ton mystérieux. Venez simplement en bas.

Il s'engagea dans le couloir. Légèrement troublée, elle contempla son reflet dans le miroir pour s'assurer de son aspect. Elle avait adopté depuis son retour de l'hôpital une coiffure plus stricte, un chignon roulé bas dans la nuque. Ses cheveux ne flottaient plus librement sur ses épaules. Cependant, des mèches blondes se détachaient de temps à autre et virevoltaient autour de son visage, comme si sa nature fougueuse reparaissait un peu sous son air discipliné...

Malgré tout, une maturité nouvelle se lisait sur ses traits. Une robe de mohair beige moulait les courbes de son corps épanoui par l'enfantement. Elle arrangea le col, resserra la ceinture de cuir sur sa taille fine et se glissa dans une paire d'escarpins à talons hauts. Un peu de rouge à lèvres, un nuage de poudre, et elle sortit de la chambre, jugeant son apparence digne d'une jeune mère en train de travailler.

Le living-room bleu pâle était vide, mis à part les deux chiens. Elle traversa le hall : personne non plus dans la salle à manger. Elle gagna la cuisine d'un pas vif. La porte donnant sur la véranda était toujours ouverte. Une silhouette sombre se penchait sur le berceau : quelqu'un essayait d'enlever Stephen!

Son sang ne fit qu'un tour. Elle se précipita, prête à se jeter sur l'intrus.

— Que faites-vous? Laissez-le tranquille! ordonna-t-elle.

Soudain elle se tut, les yeux agrandis. La gorge serrée, le cœur battant à toute allure, elle reconnaissait l'homme qui se relevait lentement.

— Damien! s'écria-t-elle. Par quel miracle...

— Il me ressemble, murmura-t-il.

Les mains dans les poches de son costume, il ne lui avait lancé qu'un regard apparemment indifférent pour se replonger aussitôt dans la contemplation du bébé. Sa voix exprimait une certaine surprise.

— J'ai toujours pensé que les bébés ne ressemblaient à personne, expliqua-t-il, en dépit du désir de la famille d'y reconnaître les traits d'un tel ou un tel. Mais là, je dois l'avouer : il est tout mon portrait...

— Cela n'a rien d'étonnant, lança-t-elle. C'est votre fils.

— Vraiment? fit-il avec une touche d'insolence.

— Oui, vraiment! cria-t-elle avec rage.

Ces retrouvailles avec lui s'avéraient bien différentes de ce qu'elle avait imaginé. Il ne se conduisait pas le moins du monde en mari exigeant, ne l'avait pas saisie dans ses bras, ni embrassée...

— De qui d'autre serait-il le fils? reprit-elle.

— De Paul, par exemple, ironisa-t-il, les yeux singulièrement brillants.

— Oh!

Teri était si furieuse qu'elle ne pouvait articuler une syllabe. Elle le gifla de toutes ses forces, lui tourna le dos et rentra dans la maison. Mais elle ne pouvait abandonner l'enfant. Damien risquait de s'en emparer et de le ramener en Grèce sans autre forme de procès. Elle revint sur ses pas, le visage glacial. Il l'attendait au bas de l'escalier, immobile, les bras croisés. Elle rassembla ses esprits et descendit calmement les marches avec un air hautain. Il bloquait le passage. Ils se dévisagèrent sans aménité; Teri se mordilla la lèvre en apercevant, sur la peau hâlée, les marques rouges de la gifle.

— Comment avez-vous osé dire cela? balbutia-t-elle. Qu'est-ce qui a pu vous faire penser...

— Paul et vous étiez fort bons amis, paraît-il, pendant mon absence. Vous êtes même retournée à Athènes en sa compagnie.

Sa bouche prit un pli railleur.

— Or, continua-t-il, c'est précisément ce soir-là que vous m'avez écrit cette lettre... m'informant que vous ne vouliez plus me revoir.

Il haussa les épaules :

— J'en ai tiré mes conclusions.

Elle le considéra, abasourdie, comprenant quelle sorte de conclusions lui avait dictées sa fuite. Mais seuls des racontars préalables les impliquaient. Quelqu'un avait insinué que sa relation avec Paul était différente d'une amitié innocente... Qui donc avait suggéré cela? Certainement pas Stephanos, elle en était sûre. Le vieil homme se montrait heureux du mariage de son fils. Peut-être Paul... ou bien Melina?

— Comment avez-vous obtenu mon adresse? interrogea-t-elle lentement.

— Auprès de Fenton, l'avocat.

Il l'enveloppa à nouveau d'un regard cynique.

— L'homme qui m'a ouvert la porte... vous vivez avec lui? susurra-t-il.

Sa remarque la blessa immensément. Quelle piètre opinion d'elle elle révélait...

— J'ai travaillé pour lui, répondit-elle entre ses dents, l'écartant pour se rendre dans le living-room. Si vous ne me croyez pas, patientez quelques instants, et renseignez-vous auprès de sa femme. Elle ne devrait plus tarder.

— Quel genre de travail?

— Index, renvois, mise au point des notes et des citations. Nous avons terminé et nous partons pour Londres demain. J'ai l'intention de passer quelque temps à Richmond, chez ma mère.

Elle s'approcha d'une fenêtre. Une voiture de luxe était garée devant la maison.

— Avez-vous conduit jusqu'ici? s'enquit-elle poliment.

— Oui.

Il s'appuya d'une épaule contre l'autre vitre.

— Je n'avais jamais encore traversé l'Angleterre, je ne connaissais que la capitale. Quel beau pays! L'Ecosse m'a beaucoup plu, également...

Un silence gêné s'ensuivit.

— Vous avez l'air... changée, ajouta-t-il.

Teri leva les yeux vers lui, sur ses cheveux d'un noir d'encre, son teint mat, sa beauté presque diabolique... Il était resté égal à lui-même.

— La maternité vous embellit, fit-il à voix basse.

Elle haussa brièvement les sourcils et contempla pensivement le jardin, où les fleurs assoiffées penchaient la tête. L'herbe rase était brûlée par le soleil estival.

— Aviez-vous été prévenu... pour le bébé? soufflat-elle. Quelqu'un vous a-t-il demandé de me rejoindre?

— Non. Personne ne m'a rien dit et je suis venu de mon propre chef. L'homme qui m'a accueilli m'a proposé de voir l'enfant pendant qu'il allait vous chercher. Il m'a indiqué le landau... Teri, pourquoi ne pas m'avoir annoncé votre grossesse?

— Je...

Après un coup d'œil furtif, elle détourna à nouveau son regard vers le jardin.

— Je l'ignore, bredouilla-t-elle. En fait, je n'étais pas sûre...

— Pas sûre qu'il soit de moi?

— Non. Cela je le savais. Il n'y a jamais eu personne

d'autre, malgré ce que vous imaginez entre Paul et moi...

Elle s'interrompit et se plaça en face de lui.

— Vous n'aviez aucun droit d'affirmer que c'était l'enfant de Paul, explosa-t-elle. Absolument aucun droit!

Sa voix se brisa devant son visage moqueur, presque cynique.

— Vous n'avez pas jugé bon de m'apprendre qu'il s'agissait de mon fils, répliqua-t-il. J'ai donc vérifié moi-même. Votre réaction m'a amplement convaincu, je dois l'admettre.

Il s'effleura la joue de la main.

— Vous frappez fort, Teri...

— Pardonnez-moi, s'écria-t-elle. Je n'avais pas l'intention de vous faire mal.

Elle faillit s'élancer, mue par le désir impérieux d'embrasser son visage. Mais elle se détourna et fixa la fenêtre.

— Alors... Pourquoi avoir accompli ce voyage? interrogea-t-elle.

Un silence pesant suivit sa question. Teri entendit Damien se déplacer dans la pièce. Elle pivota et le vit marcher de long en large devant la cheminée. Les deux labradors, alertés par une présence étrangère, levèrent la tête et grondèrent sourdement. Il s'agenouilla devant eux, leur tendit sa main à flairer puis leur caressa le museau. Les chiens s'étirèrent paresseusement, satisfaits du traitement.

— Mon père est extrêmement malade, annonça-t-il enfin, se remettant debout et revenant vers elle. Il va mourir.

— Je suis désolée, répondit-elle d'une voix sans timbre.

Ce n'était donc pas pour la voir, elle, qu'il avait parcouru tout ce trajet. Ni pour la supplier de reprendre la vie commune. Ce n'était pas par amour...

— Vous auriez pu me l'écrire, poursuivit-elle. Ou m'envoyer un message par l'intermédiaire de M⁰ Fenton.

Elle s'efforçait de dissimuler sa tristesse.

— Cela n'aurait pas servi à grand-chose, rétorqua-t-il d'un ton railleur. J'aurais reçu par retour du courrier votre lettre de condoléances, d'une froideur typiquement britannique...

Sa voix s'enflammait de colère. Sa fureur violente allait fondre sur Teri comme une tempête. Il fit un effort visible pour se maîtriser.

— J'ai préféré venir moi-même. Je vous propose de rentrer à Skios avec moi, et d'y rester un moment... au moins jusqu'à la disparition de mon père.

Il s'arrêta et prit une profonde inspiration.

— Stephanos... exige de vous voir, reprit-il.

L'expression de son visage s'adoucit :

— Il sera si heureux d'apprendre la naissance du bébé! Il demandera à le voir également. Acceptez-vous de partir avec moi, demain, au lieu d'accompagner vos amis?

La jeune femme se sentait horrifiée. La déception céda la place à un sentiment d'écœurement; quel procédé tortueux il employait! En présentant l'enfant au vieux Nikerios, Damien voulait témoigner de sa bonne conduite; il s'était marié et il avait eu un fils. L'héritage ne risquait pas de passer à d'autres mains...

— Je vais y réfléchir, prononça-t-elle, parfaitement impassible.

Le gravier de l'allée crissa sous des pneus. Jetant un coup d'œil par la fenêtre, elle aperçut la voiture des Trinton.

— Combien de temps vous faudra-t-il pour « réfléchir »? lança son mari avec une ironie cinglante. Je vous ai connue moins prudente. D'ordinaire, vous vous précipitez tête baissée pour agir. Ou devrais-je dire pour « réagir »?

Sa voix se fit à nouveau sifflante.

— Bien, railla-t-il. Réfléchissez donc! Je chercherai un hôtel quelconque dans les environs. Je prendrai la route très tôt demain matin. Je viendrai au passage m'informer de votre décision.

Toujours debout devant la vitre, Teri observait Helen sortir ses paquets du coffre. Miles surgit pour aider sa femme à les transporter. Ils remontèrent l'allée en devisant gaiement. M. Trinton montra du doigt la grosse voiture noire de Damien et murmura quelques mots.

Un couple uni, songeait la jeune femme. Les années avaient resserré les liens de leur intimité, au lieu de les dissoudre; ils se comprenaient, se soutenaient mutuellement. Ce déchirement permanent entre Damien Nikerios et elle, haine et amour confondus, alternance de désir et de répulsion, ils n'avaient jamais dû le connaître...

— Teri, reprenait son mari, il n'y en aura pas pour longtemps. Deux semaines, au plus...

La voix du Grec était soudain basse, tremblante d'émotion contenue. Il posa les mains sur ses épaules et les caressa tendrement. Elle pivota vivement.

— Ne me touchez pas! chuchota-t-elle. Je... je ne peux pas le supporter!

La bouche de l'homme se contracta. Son visage était soudain devenu d'une pâleur effrayante. Il enfonça ses mains dans les poches de son pantalon. Ses yeux se rétrécirent jusqu'à former deux fentes. Elle remarqua soudain ses traits tirés, des rides nouvelles sur ses tempes...

— J'accepte, dit-elle impulsivement. Je partirai avec vous, et j'irai à Skios voir votre père. Mais je vous préviens : je fais cela uniquement pour lui. Et je vous prie... de ne pas essayer de tirer avantage de ma présence. Suis-je assez explicite?

Il abaissa les paupières et grimaça légèrement.

— Je comprends.

116

A cet instant, les Trinton pénétrèrent dans la pièce.

Ils saluèrent Damien avec un plaisir sincère, heureux d'accueillir sous leur toit le mari de leur amie. Il n'était pas question de le laisser dormir à l'hôtel; leur conception traditionnelle du mariage l'interdisait.

— Nous tenons absolument à vous héberger ici, insistait Helen. Cela ne nous dérange pas le moins du monde. Il y a une chambre d'amis... avec un double lit.

Elle adressa à Miles un clin d'œil de connivence.

— Je vais le préparer, ajouta-t-elle. Quel bonheur de vous trouver réunis, vous et Teri!

Le jeune couple passa donc ensemble le reste de la journée. Stephen fut changé, nourri au biberon, puis il réintégra son landau et tous trois partirent en promenade le long de la plage. Teri avait l'impression étrange de marcher dans un rêve. Cette occupation paisible était radicalement différente de tout ce qu'elle et Damien avaient accompli ensemble auparavant. Rien à voir avec les étreintes passionnées de leur lune de miel, sur les îles gorgées de soleil de la mer Egée... Cependant, le fruit bien vivant de leur passion souriait avec contentement, là, dans le landau... Et Damien poussait énergiquement le petit véhicule, un air heureux de propriétaire égayant son visage!

De retour à la maison, il l'aida à préparer Stephen pour le coucher. Il le manipulait avec ravissement et précaution, le berçant sur son épaule pendant qu'elle arrangeait le berceau. En voyant son fils calme et à l'aise dans ses grandes mains brunes, une sourde jalousie traversa Teri. Si elle partait encore une fois, et demandait le divorce, son mari avait le droit de réclamer la garde de l'enfant. Saisie de crainte, elle lui ôta vivement le bébé.

Durant le dîner, elle retrouva l'étrange sentiment d'irréalité de la promenade. Ils étaient assis tous les quatre à table; l'ancien play-boy, héritier richissime, dégustait la simple nourriture écossaise sans se troubler, en échangeant avec ses hôtes des propos d'une haute volée intellectuelle. Spectacle inattendu et déconcertant...

Elle disparut après le repas pour nourrir Stephen. Cette tâche terminée, elle redescendit. Damien était seul dans le living-room; les autres s'étaient couchés, « afin de partir tôt le lendemain », expliqua-t-il.

— Nous prendrons la même route, décida-t-il, refermant la carte dépliée devant lui. Le Lake district, le Lancashire, puis nous filerons sur Oxford, afin d'éviter Londres et de rejoindre directement Richmond.

— Ma mère sera extrêmement surprise de vous voir, prévint Teri.

— Je m'en doute, mais mieux vaut tard que jamais, n'est-ce pas? Je regrette de ne pas vous présenter tous les deux à la mienne; elle séjourne aux Bahamas, comme tous les ans à cette époque.

Il s'adossa contre le canapé et l'observa attentivement.

— Prendre soin du bébé à longueur de journée doit vous fatiguer, lança-t-il. Ne serait-il pas raisonnable de vous mettre au lit?

— Oui. Je ne dors pas avec vous, cependant, rétorqua-t-elle d'un ton sec. Stephen a seulement un mois, et d'après le médecin il ne vaut mieux pas... avant au moins six semaines.

— Bien! Pas besoin d'inventer des excuses, laissa-t-il tomber.

Il se leva, saisit sa veste sur le dossier d'une chaise et la jeta sur son épaule.

— J'ai l'habitude de dormir seul, conclut-il. Bonsoir.

Il sortit de la pièce. Teri resta debout, pétrifiée comme s'il venait de la gifler à son tour.

Le voyage vers Londres, malgré tout, se déroula sans heurt. Le petit bébé reposait paisiblement sur la banquette arrière, pleurant seulement à l'heure des repas. Ils filaient sur l'autoroute, sous un ciel bien dégagé, admirant au passage les sombres collines du Cumberland adoucies par le soleil matinal.

La jeune femme n'envisageait pas de passer toute la journée sans parler. Elle se mit donc à bavarder, interrogea Damien au sujet de son père, et il répondit sans se faire prier. Stephanos avait eu une grave crise cardiaque à la fin de l'été et s'était retrouvé plusieurs fois sur la table d'opération. Son fils l'avait même conduit à New York, aux soins des meilleurs chirurgiens.

— Malheureusement, cela n'a servi à rien, dit-il. Au mois de novembre, il a insisté pour rentrer à Skios. Il veut y mourir et y être enterré... Il n'y avait plus rien à faire, sauf d'adoucir le plus possible ses derniers jours, en satisfaisant au moindre de ses désirs.

Il lui jeta un bref coup d'œil.

— Voilà pourquoi je suis venu vous chercher.

Pendant un instant, Teri resta silencieuse. Ils approchaient de la zone industrielle. De hautes cheminées d'usines dominaient l'horizon, leur sombre fumée poussée vers l'ouest par le vent de la mer. La façon dont la voix de son mari frémissait, en évoquant le sort de Stephanos, révélait assez combien Damien était en fait capable de compassion. Il aimait son père et serait prêt à tout pour lui plaire. La menace qui pesait sur son héritage n'offrait pas une explication suffisante de sa conduite.

Elle se ressaisit. Il ne fallait tout de même pas oublier les capacités de ruse de son mari, les raisons de leur mariage... S'il aimait son père, il ne l'aimait pas, elle. Leur réunion se terminerait avec la mort du vieux patriarche.

A la hauteur de Birmingham, la pluie commença soudain à tomber. Stephen montrait à présent des signes de nervosité. Teri devait le prendre en permanence sur ses genoux pour qu'il consente à se calmer, à cesser de sangloter. En arrivant à Richmond, elle se sentait harassée de fatigue.

Le bébé hurlait de toute la force de ses poumons quand Bridget ouvrit la porte. Elle le saisit immédiatement dans ses bras.

— Pauvre petit, chantonna-t-elle. Tu as faim, n'est-ce pas? Nous allons te donner à manger, tu vas voir. Ne pleure plus! Teri...

Elle leva les yeux et s'arrêta, apercevant Damien.

— Maman, se hâta d'expliquer la jeune femme, voici mon mari. Nous... nous partons demain pour la Grèce, et...

— Tu aurais pu me prévenir de la fin de votre séparation, la réprimanda sa mère.

Le nouveau-né ne criait plus et suçait son pouce, la tête appuyée contre l'épaule de sa grand-mère.

— Je suis Bridget Hayton, continua cette dernière, avec un grand sourire à l'adresse de Damien. Je suis heureuse de vous rencontrer. Mieux vaut tard que jamais, n'est-ce pas?

Il eut l'air amusé de l'entendre employer une formule identique à la sienne. Il lui rendit son sourire, et Teri observa avec irritation Bridget succomber au charme de son mari. Il fit d'ailleurs avec un égal succès, un peu plus tard, la conquête de Dick. Le jeune homme monopolisa toute la soirée l'attention de son beau-frère. La conversation porta sur le sport et les championnats de courses. Pour la première fois, elle découvrait certains aspects du passé de Damien. Il avait participé dans sa jeunesse à d'innombrables compétitions, et remporté de nombreuses médailles.

— Je ne l'imaginais pas du tout comme cela, confia sa mère à Teri pendant le dernier biberon. C'est une bonne chose de vous voir reprendre la vie commune. L'enfant en tirera plus de profit.

— Nous ne resterons pas longtemps réunis, lui et

moi, avertit la jeune femme. Peut-être serai-je de retour dans deux semaines.

— Oh non, ne dis pas cela! Une fois ensemble, vous ne pourrez plus vous passer l'un de l'autre, j'en suis sûre! ronronna Bridget d'un air romantique. Même si vous ne vous en rendez pas compte tout de suite... J'ai préparé le lit dans la chambre d'amis. Vous y dormirez tous les deux.

— Non. Je dors dans ma propre chambre, avec Stephen, fit sa fille avec entêtement.

— Mais ton lit est trop étroit, s'étonna l'autre. Damien n'y tiendra jamais...

— Damien peut dormir où il veut, rétorqua Teri.

Elle quitta la salle et gravit les escaliers. Quel soulagement de rentrer à Skios, songeait-elle. Là-bas, du moins, personne ne se préoccuperait de savoir si son mari et elle couchaient dans la même pièce ou non. A Athènes comme sur l'île, il existait un nombre largement suffisant de chambres à coucher.

Cependant, vingt-quatre heures plus tard, étendue sur le lit de la villa, fixant obstinément les étoiles, elle endurait à nouveau les tourments déjà connus la première nuit. Où se trouvait Damien? Avait-il rejoint Melina?

Pour comble de malheur, Tina avait entrepris de s'occuper en permanence de Stephen, comme s'il était son fils. Elle avait levé le bébé dès son réveil, l'avait lavé, habillé, nourri, sans se donner la peine de demander à Teri une quelconque autorisation.

La jeune mère s'en plaignit dès le petit déjeuner. Elle n'avait pas approché son fils de toute la matinée.

— Pas de jalousie inutile, se moqua doucement son mari. Tina est dotée d'une grande expérience, plus grande que la vôtre. Après tout, elle m'a élevé, et je ne m'en porte pas plus mal.

— Cela n'a rien à voir! Votre mère travaillait, elle

n'avait pas le temps ou ne souhaitait pas prendre soin de vous. Moi, j'ai l'intention de m'en charger moi-même.

— Pourquoi?

— Comment, pourquoi?

— Pourquoi voulez-vous vous occuper de Stephen?

— Mais parce qu'il est mon fils!

— C'est aussi le mien, souligna-t-il. Et à présent, il va rester ici.

Teri posa bruyamment sa tasse de café sur la table. Ses pires craintes se réalisaient. Damien s'était arrangé pour la faire venir, et il allait lui enlever son enfant...

— Quelle cruauté, dit-elle d'une voix haletante. Vous n'oserez pas m'ôter mon fils!

— Si vous vous installez ici, je n'en aurais pas besoin, n'est-ce pas? répliqua-t-il d'un ton léger, se dressant sur ses pieds. Maintenant, nous devons rendre visite à mon père. Prenez le bébé avec vous.

Elle se sentait emplie d'appréhensions en le suivant le long du sentier bordé de pins. Malgré le soleil, un vent frais soufflait de la mer, chassant sur le bleu limpide du ciel de minuscules nuages blancs et ronds. La demeure de Stephanos apparut à travers les arbres, avec le même charme aérien et féerique. Ses piliers torsadés accrochaient délicatement la lumière.

Ils se dirigèrent directement dans le bureau du vieil homme. La jeune Anglaise fut surprise de le trouver assis dans son fauteuil roulant, en costume de ville, comme si de rien n'était. Mais en s'approchant, elle fut bouleversée par les traces de la maladie. Stephanos semblait tassé, émacié, réduit presque à l'état de squelette. Une flamme brûla néanmoins dans son regard lorsqu'il aperçut Stephen.

— J'aimerais le prendre dans mes bras, chuchota-t-il d'un ton plaintif.

Il se tourna vers l'infirmière, impassible derrière la chaise roulante.

— C'est possible, n'est-ce pas? lui demanda-t-il, répétant sa question en grec.

La femme hocha la tête et prononça quelques mots. Teri cherchait des yeux Melina : elle était invisible.

— Tendez-lui le bébé, ordonna Damien d'une voix calme. Mais restez près de lui, au cas où il serait trop faible et le lâcherait.

Elle s'avança et posa doucement le nouveau-né sur les genoux du vieillard. Les mains ridées se refermèrent comme des pinces autour du petit corps emmailloté. Stephanos murmura une phrase en grec, et des larmes glissèrent lentement le long des joues creusées. Puis, il leva le menton et adressa à Teri une pâle imitation de son ancien sourire malicieux.

— Bravo, souffla-t-il. Vous avez réussi et survécu.

— Oui, répondit-elle, lui retournant son sourire.

Le regard délavé se fixa sur Damien.

— Tu as bien choisi, mon fils. Cette femme possède de l'endurance à revendre et une grande force de volonté. Traite-la avec douceur et respect, et tu ne regretteras jamais de l'avoir épousée.

Il ramena ses yeux vers la jeune femme.

— Merci d'être venue, ma chère. J'espère vous revoir demain, et même chaque jour. Vous éclairez la vie d'un très vieil homme...

Le couple s'éclipsa. Ils s'assirent un moment dans le patio éclatant de fleurs et de lumière.

— A quoi mon père faisait-il allusion? interrogea Damien.

— Il m'avait confié, il y a longtemps, que vous commettiez une erreur en m'épousant. Il me trouvait trop étroite pour avoir des enfants. Sa prédiction s'est révélée exacte : j'ai accouché par césarienne.

— Christo! s'exclama-t-il avec sauvagerie, enfonçant ses doigts dans le bras tendre de la jeune Anglaise. Pourquoi ne l'ai-je pas su? Vous ne me dites jamais rien!

Il s'étouffait de rage. Perturbé par l'éclat de voix, Stephen se mit à sangloter.

— Vous me serrez trop! protesta-t-elle. Lâchez mon bras. Je... je ne vous ai pas prévenu par peur... que vous ne me retiriez l'enfant.

Il se leva brutalement, traversa la cour et descendit les quelques marches du perron. Elle le rejoignit et ils s'engagèrent en silence dans le sentier. Il reprit enfin la parole, d'une façon étrangement basse et inquiète.

— Si vous étiez à nouveau enceinte... faudra-t-il une autre opération?

— Probablement.

A mi-pente, on distinguait la mer scintillante derrière les broussailles. Les vagues s'écrasaient avec fureur contre les rochers.

— Cela n'a pas d'importance, reprit-il soudain, comme pour lui-même.

— Qu'est-ce qui n'a pas d'importance?

Il s'arrêta et se tourna vers elle. Les ombres du feuillage jouaient sur son visage. Elle contempla l'homme dont elle était tombée passionnément amoureuse durant leur lune de miel. Il portait une chemise grecque, travaillée de broderies, largement échancrée. La brise ébouriffait ses cheveux noirs. Teri sentit l'aiguillon du désir la harceler...

— Le fait de ne pas avoir d'autres enfants, répondit-il lentement, tendant les mains vers Stephen. Donnez-le moi, vous paraissez lasse.

— Aucune importance, effectivement, murmura-t-elle tristement.

Un héritier suffisait... Damien avait atteint son but. Après la mort de Stephanos, il demanderait le divorce, se remarierait avec Melina, assez solide pour fonder une véritable dynastie...

— Je n'ai pas vu Melina, remarqua-t-elle à voix haute, frottant son bras engourdi par le poids du bébé.

— Stephanos lui a demandé de partir, quand il est rentré de New York.

— Pour quelle raison?

— Je l'ignore.

Un immense soulagement envahit Teri. Les absences nocturnes de Damien ne l'inquiéteraient plus, à présent...

Trois semaines s'écoulèrent paisiblement. Elle prenait soin de Stephen avec l'aide de Tina, et rendait visite chaque jour à son beau-père. Il s'acheminait lentement vers sa fin. La jeune femme s'interdisait tout projet personnel pour la période qui suivrait le décès. De temps à autre, son mari lui tenait compagnie, lorsque ses affaires ne le retenaient pas à Athènes. Ils étaient heureux de se retrouver. Lentement, précautionneusement, le couple apprenait à mieux se connaître, évitant dans les discussions tout sujet de querelle.

Cette période calme, comme suspendue dans le temps et dans l'espace, rappelait leur lune de miel. Cette fois, pas de contact physique entre eux, mais une intimité spirituelle sans cesse grandissante. Cela pourrait durer éternellement, songeait Teri. Mais le monde extérieur menaçait...

Il les ramena brutalement à la réalité. Une nuit, Stephanos déclina rapidement. Divers membres de la famille affluèrent les jours suivants : Katina, accompagnée de ses filles, et — à l'extrême surprise de Teri — Melina; le lendemain, Andrea, la fille aînée t son mari. Dieu merci, tous logeaient dans la gran villa de la colline, où les domestiques se trouvaient en nombre suffisant. Cependant, leur arrivée ôtait à Teri la présence quotidienne de Damien, et ses tourments au sujet de Melina recommencèrent...

Enfin, quelques heures seulement avant la mort de Stephanos Nikerios, la mère de Damien elle-même — Marylin Wemsley — se montra. Son ex-mari l'avait fait appeler, expliqua-t-elle. Mince et élégante dans un coûteux mais sobre tailleur noir, une masse de cheveux sombres encadrant son visage, elle paraissait beaucoup plus jeune que son âge.

— En outre, je mourais d'envie de vous rencontrer, avoua-t-elle à sa belle-fille.

Elle s'exprimait avec un léger accent américain, traînant et un peu nasal.

— Vous savez, je suis très fâchée contre vous et mon fils, reprit-elle.

— Vraiment? Pourquoi? rétorqua Teri, prête à se défendre.

— Eh bien, vous m'avez rendue grand-mère! Tout le monde va deviner mon âge, à présent...

Elle se laissa gracieusement tomber dans un fauteuil, leva les bras et enleva ses cheveux, révélant sous la perruque une chevelure grise et dure, coupée très court. L'expression stupéfaite de la jeune femme l'amusa infiniment.

— Voilà! annonça-t-elle. Vous seule connaissez mon secret, c'est une preuve de grande confiance.

Son regard se fit scrutateur.

— Je comprends Damien, reprit-elle. Vous êtes tout à fait étonnante. Maintenant, parlez-moi de ce pauvre Stephanos...

Teri apprécia beaucoup la visite de Marylin. L'humour de l'Américaine, ses commentaires sans détour constituaient une antidote agréable à l'ambiance sombre et austère du clan Nikerios. Le lendemain des funérailles, elles étaient assises l'une près de l'autre dans le bureau où devait être lu le testament du défunt.

— Tout ce grec vous paraît aussi obscur que du chinois, je suppose, plaisanta Lady Wemsley.

— Le comprenez-vous? interrogea Teri.

— Bien sûr! Ma mère était grecque, elle m'a appris sa langue. Nous avions l'habitude de chanter toutes les deux... Mon dieu, écoutez ces deux-là!

Katina et Andrea s'étaient lancées avec volubilité

126

dans une violente diatribe contre les hommes de loi, prenant à témoin qui leur mari, qui Damien...

— Elles sont effrayantes, à pinailler ainsi sur les miettes de l'héritage... Sortons, allons faire une petite promenade. Un hélicoptère doit bientôt venir me chercher pour me ramener à Athènes, et il y a plusieurs choses dont j'aimerais vous entretenir avant, conclut Marylin.

Elles firent quelques pas sous les pins.

— Elles me détestent, vous savez, les demi-sœurs de Damien, Katina et l'autre. Elles me haïssent parce que j'ai eu Damien, confia-t-elle. Vous avez entendu parler de mon mariage avec Stephanos?

— Un peu... par Paul.

— Oh, lui! La lecture du testament l'a mis visiblement mal à l'aise. Avec la naissance de votre fils, cet enfant chéri d'Andrea perd une bonne partie de la fortune familiale... La première épouse de mon ex-mari se nommait Cassandra Voulgaris. Vous connaissez ce nom?

— Non, répondit sa compagne, désarçonnée par les étranges et cinglantes remarques de sa belle-mère sur la famille.

— Georges Voulgaris, son père, était un armateur richissime, le patron de Stephanos Nikerios. Ce dernier a donc convolé en justes noces avec la fille de son employeur, dans l'intention bien déterminée de contrôler un jour l'empire Voulgaris. Cela, il l'a parfaitement réussi. En revanche, Cassandra est morte en couches, et en même temps qu'elle, leur unique enfant mâle. Pour Stephanos, le désir d'avoir un fils est devenu une véritable obsession. En apprenant la naissance du mien, à la suite de notre brève liaison, il m'a demandée en mariage. Il s'agissait en fait d'une sorte de contrat : en échange d'une certaine somme, je lui laissais la garde de l'enfant à la date de notre divorce.

— Paul avait mentionné cela, bredouilla Teri.

— Vous êtes choquée, naturellement.

— Non. Plus maintenant. Je... je comprends.

— Nous ne nous aimions pas, vous comprenez. En outre, ses deux filles se montraient insupportables! Elles m'ont obligée à partir à force de haine... Stephanos leur a toujours préféré Damien, elles en sont extrêmement jalouses. De vous aussi, d'ailleurs, surtout depuis la naissance de votre adorable petit garçon. Leur père a modifié ses dernières volontés à cause de lui...

— Vraiment? Comment le savez-vous?

— Damien me l'a appris. Vous les avez entendues exploser, tout à l'heure...

Marylin s'arrêta devant la porte de sa chambre et se tourna vers Teri.

— Vous étiez très liée avec le jeune Paul, au début, poursuivit-elle. A mon avis, il vous témoignera beaucoup moins d'amitié dans le futur. Stephanos l'a partiellement déshérité au profit de votre fils.

Son regard ambré se fit interrogateur.

— Il a tenté de vous séduire, l'an passé, n'est-ce pas? Vous avez quitté votre mari à cause de lui...

— Non. Il n'y a jamais rien eu de sérieux entre nous, protesta la jeune femme. Mais il m'a expliqué pourquoi Damien m'avait épousée. Il a dit...

Elle s'interrompit. Elle n'osait pas révéler à sa belle-mère des détails aussi sordides.

— Je m'en doutais, soupira Marylin. J'étais certaine qu'il essaierait de briser votre union. Sa mère l'y poussait. Allons, racontez-moi tout. J'ai suffisamment confiance en mon fils, ne vous inquiétez pas.

— Euh... selon Paul, Damien s'est marié avec moi pour dissimuler sa liaison avec Melina, murmura Teri.

— Bien trouvé! s'exclama l'Américaine d'un ton sarcastique. Ils ont tout arrangé, vous savez. Melina est une cousine; ils l'ont présentée à Stephanos comme une excellente infirmière, puis l'ont poussée vers Damien. De cette façon, un fils éventuel restait dans la famille, pour ainsi dire. Mais mon ex-mari s'est montré beaucoup plus rusé : il a lui-même épousé la jeune femme. En effet, il refusait absolument que son fils se marie dans le clan Voulgaris, celui de sa première moitié.

Marylin fut interrompue par Arnie; son hélicoptère avait atterri et l'attendait. Avant de partir, elle serra Teri dans ses bras et lui donna un baiser affectueux.

— C'est un grand bonheur pour mon fils de vous avoir choisie, dit-elle. Je m'en félicite. Ne le quittez pas, Teri. Il a énormément besoin de tendresse; il a manqué de chance avec les femmes, jusqu'ici — y compris sa mère.

L'après-midi touchait à sa fin. La jeune Anglaise mit Stephen au lit et se mit à déambuler dans le sentier, à la recherche de Damien, essayant d'éclaircir les dernières paroles de Marylin. Le temps était venu de prendre une nouvelle décision. Elle se sentait incapable de se séparer de son mari encore une fois; elle ne souhaitait plus l'abandonner, ni maintenant ni jamais. Elle resterait avec lui parce qu'elle l'aimait. Les deux semaines écoulées lui avaient prouvé à quel point elle était attachée à lui... Seulement, elle ne serait jamais sûre d'être aimée en retour... Elle ne le serait jamais à cause des circonstances de leur mariage...

S'ils avaient pu remonter le temps, songeait-elle.. se rencontrer à nouveau, sans l'obstacle de cette dette entre eux, ils seraient tombés spontanément, naturellement amoureux. Elle en était certaine. Et, d'autre part, elle avait eu tort d'écouter Paul ! Tellement tort...

Sur le point de pénétrer dans la grande salle de la villa, s'attendant à y trouver toute la famille Nikerios au grand complet, Teri s'arrêta net. La pièce était faiblement éclairée, mais assez pour y distinguer deux personnes : Melina et Damien. Debout l'un près de l'autre, ils bavardaient; plus exactement, la Grecque, presque hystérique, laissait couler un flot de paroles.

Soudain, elle fondit en larmes et se précipita dans les bras de son compagnon.

Glacée, la jeune femme vit comme dans un cauchemar les bras de Damien se refermer sur sa belle-mère. Elle voulut crier : « non, non! par pitié, ne faites pas cela... » mais elle ne dit rien.

Elle tourna les talons, se précipita dans le corridor, gagna le patio, et plongea sous la première arche qui s'ouvrait sur l'obscurité de la colline.

7

Bouleversée, Teri courut pendant un moment à perdre haleine, sans se préoccuper du chemin. Elle s'arrêta tout à coup et regarda autour d'elle; elle ne se trouvait pas sur le sentier habituel, mais grimpait au contraire vers le sommet de la colline. La clarté blafarde de la lune, à demi noyée par les nuages et le feuillage des arbres, ne permettait pas de situer l'endroit.

Elle resta immobile quelques instants, prêtant l'oreille au bruit du vent jouant dans les pins. En contrebas, les lumières de la grande villa luisaient doucement; plus bas encore, celles de la villa de Damien. Mais elle ne rentrerait pas maintenant; elle ne pourrait s'étendre paisiblement quand son esprit se débattait avec des tourments aussi violents...

Elle se tourna vers le haut et distingua les colonnes d'un petit temple en ruine, silhouette à peine esquissée contre le ciel délavé par la lune. Voilà où elle serait bien : sous les étoiles. Là, elle réfléchirait, et une solution à ses problèmes surgirait peut-être...

Le gravier craqua sous ses pas. Une fois ou deux, elle faillit se cogner au roc, puis ses yeux s'accoutumèrent peu à peu. Elle suivit le sentier en évitant les obstacles. Le temple était beaucoup plus en altitude qu'il n'y paraissait; elle dut escalader des blocs de pierre, grossièrement taillés en escalier, pour l'atteindre. Enfin, haletante, le sang battant à ses tempes, elle se tint debout sur le plateau. La vue superbe la ravissait, distrayait le cours de ses pensées; on suivait les courbes des collines jusqu'à la mer, argentée et délicatement parsemée d'un duvet d'écume...

Les colonnes, les autels encore érigés dans le temple projetaient d'immenses ombres noires. Sur l'un des côtés, le sol pavé de mosaïque était coupé net par la faille d'un ravin. Le vent soufflait en force, lui battant les chevilles, la poussant vers l'à-pic. La jeune femme hurla lorsqu'une chauve-souris, dérangée, la frôla d'un coup d'aile.

Elle s'assit avec précaution sur un bloc carré, probablement l'ancien support d'une statue. Des dizaines de siècles auparavant, là même où elle se trouvait, des gens apportaient aux dieux des offrandes, des sacrifices : statues d'or et de bronze pour les plus riches, fruits ou animaux domestiques pour les autres. Tous souhaitaient du fond du cœur l'intervention du dieu ou de la déesse invoqués... Ils quémandaient la santé, la guérison, la fertilité, parfois l'amour de l'indifférent ou de l'ingrat... Teri contempla l'autel le plus grand, illuminé par la lune. Elle n'avait à donner comme offrande que son alliance et la chaîne d'or, cadeau de Damien. Elle les effleura machinalement. Depuis leur mariage, il l'avait couverte de présents; bijoux, villa, fourrure... Tout sauf le seul objet de son désir : l'amour de son mari.

Avec un petit sourire contraint, elle se demanda si elle allait implorer les dieux pour l'obtenir. Elle les supplierait par la même occasion d'éloigner Melina... Et quand bien même? Tout cela n'effacerait pas l'image de Damien prenant dans ses bras l'autre femme. Le mal était fait, la méfiance installée. Nul dieu païen ne pourrait l'aider. L'alternative se présentait fort simplement : elle avait le choix entre rester avec le père de son enfant, en feignant d'ignorer sa liaison, ou le quitter définitivement.

Son esprit indépendant, épris de liberté, lui dictait d'adopter la seconde solution. L'humiliation serait ainsi évitée; elle partirait dès le lendemain, et avec Stephen. L'enfant ne souffrirait jamais de la haine de Melina envers lui. Aucune autre femme n'élèverait son enfant à sa place. Si Damien en réclamait la garde, elle le poursuivrait devant les tribunaux.

Teri se leva, soulagée d'avoir pris une décision. Les dieux l'auraient-ils écoutée malgré tout? songea-t-elle avec humour. Elle commença à redescendre la forte pente. L'obscurité brouillait les formes; elle perdit l'équilibre plus d'une fois, s'écorcha vilainement les mains et les jambes contre les arêtes coupantes. Une chute particulièrement impressionnante la laissa clouée au sol pendant de longs instants. Elle était terrorisée à l'idée de reprendre sa marche; ne risquait-elle pas de dévaler toute la colline, tête la première, et de s'écraser sur les rochers?

Elle se remit néanmoins debout et boitilla péniblement quelques minutes. Puis elle s'arrêta : elle avait complètement perdu le chemin. Les lumières de la villa ne scintillaient plus entre les arbres comme de minuscules points de repère. Elle remarqua uniquement l'orée d'un champ d'oliviers. La lune brillait au sud-est, au-dessus de l'oliveraie; les villas se trouvant à l'ouest de l'île, elle décida de se diriger en tournant le dos à l'astre nocturne. Elle finirait bien par les trouver...

Elle coupa à travers les broussailles, pour s'apercevoir bientôt qu'elle avait toujours la lune en face d'elle. Heureusement, elle arrivait à un groupe de maisons.

Elle traversa la cour de la première. Une odeur de bétail flottait dans l'air; il s'agissait d'une ferme. Elle hésita un instant devant la porte, presque dissimulée par des grappes de bougainvillées en fleur, puis frappa vaillamment, rassemblant en hâte dans son esprit quelques mots grecs pour pouvoir demander sa route.

Une femme vint ouvrir, et fixa Teri avec surprise.

Celle-ci lui souhaita bonsoir en grec et soupira : elle ne savait comment s'expliquer.

La femme lui répondit avec politesse, puis appela quelqu'un à l'intérieur de la maison. Un homme apparut bientôt dans l'embrasure, grand et large, la moustache grise. La jeune Anglaise eut l'impression d'être reconnue.

— Parlez-vous anglais, *kyrie*? s'enquit-elle dans un grec balbutiant.

A son immense soulagement, il hocha la tête.

— Je me suis perdue en me promenant, poursuivit-elle dans sa langue natale. Pourriez-vous m'indiquer la villa Nikerios?

L'homme sourit et l'invita d'un geste à entrer.

— Venez, *kyria* Nikerios, dit-il. Je vais vous raccompagner en carriole. Elle sera prête dans quelques minutes.

— Oh! Vous êtes le chauffeur de l'une des carrioles, s'exclama-t-elle, se souvenant soudain de son visage.

— Oui, acquiesça-t-il. Je me nomme Patros Parara. Voici ma femme, Irène, et mes enfants : Christos et Christina.

Il l'introduisit dans une pièce fleurant une bonne odeur de cuisine. Des gravures aux vives couleurs ornaient les murs passés à la chaux. Deux enfants bruns et éveillés avalaient leur soupe, assis devant une grande table de bois. L'ensemble paraissait pauvre, mais d'une propreté immaculée.

— Asseyez-vous, ajouta-t-il. Ma femme va vous donner de quoi manger.

Teri remercia avec reconnaissance, buvant une gorgée du lait de chèvre posé devant elle. Les yeux noirs des enfants l'observaient avec curiosité. La jeune épouse lui servit un plat délicieux, un mélange de poisson, de riz, d'oignons et de pignons de pins; elle dévora le tout avec appétit, et le visage austère d'Irène s'éclaira.

Patros revint la chercher. Teri remercia à nouveau,

134

avec chaleur, et le suivit dans la cour où la carriole attendait.

Adossée contre les coussins de cuir, elle se rappelait son premier trajet nocturne avec Damien. Elle désira soudain sa présence, avec violence. Le sentir à nouveau lui caresser les cheveux, l'embrasser... Elle s'efforça de chasser ces pensées troublantes, de calmer ses nerfs à vif.

La villa parut enfin. Toutes les lumières semblaient allumées. Lorsque le véhicule s'immobilisa, elle entendit la voix de Arnie crier quelque chose, et Damien Nikerios se précipita au bas des marches.

— Où étiez-vous passée? interrogea-t-il brutalement, l'aidant à descendre.

Ses yeux étaient hagards.

— J'ai marché... jusqu'au temple, répondit-elle.

— De nuit? Christo! Vous auriez pu tomber dans le ravin, vous perdre... Avez-vous perdu la raison?

Ses paroles cinglaient comme un fouet. Il lui serrait le bras avec force.

— Je vais parfaitement bien, rétorqua-t-elle d'un ton glacial. Payez M. Parara pour la course, s'il vous plaît. J'ai vu leur maison; ils sont si pauvres! En outre, ils m'ont offert l'hospitalité, m'ont nourrie... Payez-le largement, je vous en supplie!

Elle dégagea son bras, dit adieu au chauffeur de la carriole et s'échappa vers la demeure, passant devant Tina et Arnie qui contemplaient la scène, médusés. Elle courut dans les corridors et gagna sa chambre.

Une fois à l'abri, elle s'observa dans le miroir, se trouva l'air complètement désorienté et se précipita dans la salle de bains. Elle resta un temps interminable dans la baignoire, examinant les hématomes et les écorchures variées acquises durant la soirée. En sortant, elle se sentait enfin calme et reposée. Son entretien avec Damien était prêt. Elle s'empara d'une serviette et la noua autour d'elle, puis s'arrêta net en apercevant son mari allongé sur le lit. Il se leva d'un bond, enfonça les mains dans les poches de sa robe de chambre, et se dirigea vers elle. Ses jambes et sa poitrine nue se découvraient légèrement à chaque pas.

— Vous n'avez rien? demanda-t-il.

Toute colère avait disparu de ses yeux. Ils l'observaient, sombres et impénétrables comme le ravin de la colline.

— Non. Tout va bien, laissa-t-elle tomber.

Elle le dépassa, ouvrit un tiroir et choisit une chemise de nuit.

— Tout ce temps dans la salle de bains! Je commençais à m'inquiéter, à vous croire évanouie ou noyée...

Il parlait par-dessus son épaule; son souffle frôlait sa nuque. Finie l'époque où il serait intervenu sans se gêner dans le cours de sa toilette, menaçant de la rejoindre dans la baignoire... Elle se mordit les lèvres et enfila la chemise de nuit sur sa tête sans se retourner. Elle passa un bras dans une manche et sentit Damien l'aider à passer l'autre. Le chatoyant satin vert d'eau virevolta autour d'elle. Elle détacha le drap de bain; il glissa sur le sol. Elle le ramassa, revint dans la pièce voisine et le suspendit à sa place. Puis elle éteignit la lumière et le rejoignit.

— Pourquoi êtes-vous montée jusqu'au temple? interrogea-t-il.

— Pour réfléchir.

Elle tira le tabouret de la coiffeuse, s'assit et s'empara de sa brosse à cheveux. Le miroir renvoyait l'image d'une pâle jeune femme, la chevelure d'or éparpillée sur les épaules, les pommettes marbrées de taches rouges. L'obstination durcissait ses lèvres et son regard bleu d'azur exprimait la réserve et l'inquiétude.

Il se plaça à nouveau derrière elle et saisit la main qui tenait la brosse. Après une brève résistance, elle la lui abandonna. Il la coiffa doucement... elle ne voyait de lui que son front et la frange brune de ses boucles.

Teri prit une profonde inspiration, agrippa fermement des deux mains le tabouret, et annonça d'une voix claire et précise :

— Damien, je rentre à Londres demain, et j'emmène Stephen avec moi.

Dans le miroir, la main brune s'arrêta au milieu d'un coup de brosse, puis le termina, s'arrêta encore et en commença un autre. Il continua, sans parler, jusqu'à ce que les souples ondulations aient repris leur disposition coutumière. Satisfait, il jeta un dernier regard à son travail, puis posa lentement la brosse sur la tablette de la coiffeuse.

Il lui serra légèrement les épaules et chercha son regard dans la glace. Un demi-sourire errait sur ses lèvres.

— Je retrouve la femme que j'ai épousée, murmura-t-il. Hardie et un peu capricieuse...

Etrangement fascinée, elle vit ses mains glisser vers sa poitrine, caressant langoureusement le satin de la chemise de nuit. Ses nerfs s'embrasaient, le désir s'éveillait en elle. Alarmée, elle s'inclina en avant, dans l'espoir de se dégager de son étreinte ; mais les bras de Damien se retrouvèrent à la hauteur de sa taille et il la maintint fermement contre lui.

— Avez-vous compris mes paroles ? lança-t-elle.

Elle s'efforçait de rendre sa voix froide et coupante. Malheureusement, à son grand désarroi, elle frémissait.

— J'ai compris, souffla-t-il. Et cela ne m'a pas plu du tout.

Les boucles brunes réapparurent dans le reflet du miroir, brillant sous la lumière électrique. Elle les sentit effleurer sa peau, et la chaleur d'un baiser brûla le creux de son cou.

— Allons nous coucher, murmura-t-il.

Il releva le menton et la fixa par-dessus son épaule.

— Je vous désire, ajouta-t-il, et vous me désirez...

— Non, cria-t-elle. Non, c'est faux !

Elle lui attrapa les poignets et tenta de le repousser.

— Si, insista-t-il, vous me désirez. Votre cœur bat aussi vite que le mien...

Ses doigts s'étaient posés sur son sein gauche. Elle haleta, ouvrit les lèvres, et son corps s'arqua involontairement.

— Vous voyez? ironisa-t-il.

Il l'enlaça et la souleva de terre. Elle résistait, mais il renversa le tabouret d'un coup de pied, renforça son étreinte et la transporta vers le lit.

— Damien, s'exclama-t-elle, vous m'aviez promis de ne pas prendre avantage de ma présence!

Elle lui frappait la poitrine, avec force vigoureux coups de poing.

— Vraiment? Alors, je romps cette promesse, rétorqua-t-il. Ici et maintenant. Je n'en peux plus, Teri. Il faut me pardonner. Vous êtes si belle, ma capricieuse, angélique petite femme, et il y a si longtemps... bien trop longtemps...

Il l'allongea sur le lit, ses yeux noirs fixés sur son visage, sa main frôlant rêveusement sa gorge, parcourant la courbe de ses épaules.

— Affirmerez-vous, en toute honnêteté, que vous ne me désirez pas? reprit-il.

Ses lèvres chaudes s'approchaient de son visage. Elle fondait sous les tendres caresses, son sang courait de plus en plus vite dans ses veines. Laissant échapper un léger gémissement, elle se rendit et posa sa bouche contre la sienne.

Désormais, seule comptait la satisfaction de leur besoin désespéré l'un de l'autre. Ces mois de séparation les avaient tant privés de baisers et d'affection. Ils comblaient ce retard avec avidité, heureux de retrouver des sensations familières et exaltantes...

Longtemps ils s'enlacèrent, se retrouvèrent dans une étreinte passionnée et enivrante. Ils atteignirent le sommet du plaisir. Puis ils reposèrent un long moment, cheveux bruns et cheveux blonds mêlés, sans ressentir le besoin de s'exprimer par d'inutiles paroles; et le sommeil les surprit.

Teri dormit lourdement, sans rêves, comme assommée. Le grincement de la porte l'éveilla. Etonnée de se trouver nue sous les couvertures, elle tourna la tête sur l'oreiller. Tina entrait dans la pièce, les mains chargées d'un plateau.

La scène était coutumière. Combien de fois, depuis qu'elle avait rencontré Damien, l'avait-il laissée seule au petit matin, malgré la tendresse de la nuit? Et, seule, elle prenait le petit déjeuner, apporté par Tina ou une autre des gouvernantes...

— Quelle heure est-il? demanda-t-elle, s'étirant paresseusement dans le lit.

Une lassitude délicieuse berçait son corps, amenant sur ses lèvres un léger sourire. Elle et son mari se complétaient physiquement à la perfection, c'était indéniable. Damien se révélait l'amant idéal, comme il n'en existait probablement de meilleur. A vrai dire, s'en fût-il présenté un autre, elle n'en aurait pas voulu.

— Il est midi, annonça Tina d'un ton impassible.

Elle posa le plateau sur la tablette et se tint debout, avec raideur, les mains croisées sur son tablier immaculé. La vieille hostilité se lisait dans ses yeux.

— Quoi? s'écria la jeune femme.

Elle se dressa d'un coup, oubliant momentanément sa nudité. Elle rassembla les draps autour d'elle, sous son menton, et adressa à la gouvernante un regard incrédule.

— Pourquoi ne pas m'avoir éveillée plus tôt? ajouta-t-elle.

Elle considéra l'oreiller voisin du sien, écrasé et froissé. Pourquoi donc Damien l'avait-il laissée dormir? songea-t-elle avec contrariété. Il l'abandonnait toujours à l'aube, comme un voleur nocturne s'enfuyant après avoir obtenu ce qu'il cherchait...

— *Kyrios* Nikerios a ordonné de respecter votre sommeil, répliqua froidement la gouvernante, car vous étiez épuisée et aviez besoin de repos.

— Et le bébé?

Pour la première fois depuis plusieurs semaines, elle s'éveillait autrement qu'aux cris de l'enfant réclamant son premier biberon.

— *Kyrios* Nikerios s'est occupé de lui, et me l'a amené à la cuisine. Je l'ai nourri. A présent, il dort dans la cour. Il semblait satisfait de voir son père et moi prendre soin de lui...

Comme si le nouveau-né n'avait pas besoin de sa mère, interpréta amèrement Teri.

— Prenez votre déjeuner, *kyria,* reprit Tina, indiquant le plateau du doigt. L'hélicoptère vous conduira à Athènes, lorsque vous et votre fils serez prêts.

— Oh! s'exclama la jeune femme, fronçant les sourcils en apprenant la nouvelle. Dois-je me rendre à Athènes?

— D'après *Kyrios* Nikerios, oui, car demain vous vous envolez pour Londres. Aujourd'hui, il est déjà trop tard. Il s'est rendu ce matin à la capitale, afin de faire vos réservations à l'aéroport. Vous le retrouverez à la villa Nikerios, là-bas, en fin d'après-midi.

La Grecque lui lança un dernier regard désapprobateur et tourna les talons. Sitôt la porte fermée, Teri bondit sur ses pieds, ouvrit le placard et revêtit en hâte son peignoir. Revenant s'asseoir sur le lit, elle avala d'un trait le café brûlant et se prépara un toast avec du beurre et du miel. Elle mâchait mécaniquement, ses pensées divaguant dans toutes les directions pour tenter de comprendre ce que l'imprévisible Damien lui réservait à présent... Quelle obligeance de sa part, de lui réserver son billet d'avion! se dit-elle avec une triste ironie. Et particulièrement à la suite d'une nuit semblable à celle-ci... Toutes ses paroles de tendresse étaient-elles des mensonges? Mentait-il en affirmant la

140

désirer, en la complimentant sur sa beauté, en se proclamant fier de l'avoir pour femme et mère de son fils?... Oui... certainement!

Elle s'écroula sur le lit, se mordant les poings pour essayer de refouler des larmes brûlantes. Elle se trouvait perdue dans une confusion totale. Où donc étaient passées sa force de volonté, sa fierté? Jusqu'à quand se laisserait-elle fouler aux pieds par un homme qui ne l'aimait pas? Il l'humiliait en la quittant dès l'aube, la rabaissait au rang d'une maîtresse, d'une courtisane payée pour ses faveurs.

Cependant il y avait eu de longues heures, les semaines écoulées, où s'était établie une profonde intimité. Elle avait eu alors l'impression de le sentir proche, inquiet pour elle. La veille encore, il lui serrait le bras avec tant d'anxiété, en l'aidant à descendre de la carriole! Elle en portait les traces bleuâtres. Il se montrait tellement furieux de sa fugue, effrayé des risques de chute et d'accident qu'elle avait courus dans l'obscurité...

— Etes-vous prête, *kyria*?

La gouvernante était de retour.

— Dois-je réveiller le bébé et le préparer? reprit-elle.

— Non, pas encore. J'ai toutes nos affaires à emballer. Vous comprenez, je ne reviendrai plus! s'exclama Teri avec une certaine sauvagerie empreinte de désarroi.

Elle se fit aider par Tina, habilla et installa Stephen dans un couffin, puis gagna l'hélicoptère.

La jeune femme avait déjà pris l'hélicoptère, trois semaines auparavant, pour gagner l'île. La sensation n'était pas neuve. Cependant, elle retint sa respiration au décollage.

Elle fixait Skios de toutes ses forces. Le port devenait de plus en plus minuscule, s'éloignait... Elle le voyait peut-être pour la dernière fois, ainsi que toutes les îles grecques posées comme des joyaux sur les eaux turquoise. Une vieille légende lui revint à l'esprit : après avoir créé la terre et les continents, Dieu s'aperçut qu'il lui restait une poignée de cailloux dans la main. Il les jeta dans la mer, par-dessus son épaule et chacun d'eux devint îlot.

Des courants vert jade et pourpre traversaient le bleu de la Méditerranée. Les rochers s'y détachaient en ocre, et les montagnes étincelaient au loin, parsemées du gris argenté des oliveraies. Un ciel limpide, indifférent aux tourments des hommes, s'étalait sur l'ensemble.

Les pales de l'hélicoptère ralentirent bruyamment. Il s'inclinait lentement vers l'aéroport d'Athènes. Un court instant, Teri songea à se frayer un passage jusqu'aux guichets des grandes compagnies et à s'embarquer dans le prochain vol pour Londres. Mais le pilote portait déjà le couffin du bébé et marchait à grandes enjambées vers la Cadillac des Nikerios, garée bien en vue sur le parking. Elle le suivit.

Le chauffeur en casquette l'accueillit avec politesse. Quelques minutes à peine après l'atterrissage, la limousine se faufilait prestement dans le flot de la circulation. La jeune Anglaise reconnaissait les monuments, les squares, et même l'Acropole sur sa colline, avec le sentiment étrange d'être de retour chez elle. Les temples étincelaient dans la lumière mordorée du soleil couchant. Ils dominaient toute la ville, surgissaient à chaque carrefour au sommet des immeubles... Chacune de ces visions faisait palpiter son cœur d'émotion.

La voiture arriva en vue non de la villa Nikerios, mais de la maison blanche dont Damien lui avait fait cadeau. Une agréable sensation de propriété traversa Teri, mêlée d'un bonheur étonné devant le choix de son mari. Il avait préféré lui donner rendez-vous chez elle, plutôt que dans la froide demeure familiale, vide comme un mausolée.

Cependant, personne ne vint l'accueillir à l'entrée. Elle hésita un instant, considérant qu'elle ne savait où elle avait laissé sa clef, mais le chauffeur gravissait déjà l'escalier et sortait lui-même une clef de sa poche. Il posa le couffin de Stephen sur les marches et entreprit d'ouvrir la porte, puis s'inclina en l'invitant à passer.

A l'intérieur, tout paraissait impeccable. Pas une trace de poussière sur les meubles. Néanmoins, l'air sentait légèrement le renfermé, personne n'avait habité ici depuis un certain temps. Elle se demanda, en déambulant dans les pièces, où avaient disparu la gouvernante Anika et les autres domestiques. Ne vivaient-ils plus dans la maison? Qui les avait renvoyés?

Soudain, elle sursauta. La porte du perron avait claqué. Elle se précipita dans le hall. Tous ses bagages attendaient sur le sol de mosaïque, soigneusement rangés; les deux valises pleines de ses vêtements et le sac de voyage contenant les affaires du bébé. L'enfant lui-même sanglotait dans son couffin, ses petites jambes cognant les parois d'osier avec fureur.

Le chauffeur de la Cadillac était invisible. Teri tourna la poignée et se précipita dans l'allée; elle avait oublié de l'interroger, pour savoir à quelle heure Damien la rejoindrait. Mais le moteur de la lourde voiture ronronnait déjà, et elle la vit s'éloigner par la grille du parc.

Le bébé se mit à hurler de toute la force de ses poumons. Elle le souleva en murmurant des paroles apaisantes, le transporta dans le living-room et le changea. Ensuite, elle cala l'enfant dans ses bras et explora le reste de la maison. La cuisine était immaculée: équipement ultra-moderne, prêt à servir, placards ct congélateurs regorgeant de provisions. A l'étage, les draps de son lit avaient été changés. Elle trouva un berceau tout neuf dans la chambre voisine.

Visiblement, quelqu'un était venu préparer et mettre la demeure en ordre le jour même. Teri comprenait de moins en moins pourquoi, à présent, tout était désert. Elle redescendit au rez-de-chaussée, reprit le couffin au passage et se rendit dans la cuisine. L'heure suivante fut consacrée à la préparation de son dîner et à la cérémonie du biberon pour Stephen. Désormais calmé, le petit gazouillait gaiement, sans quitter sa mère des yeux.

Elle s'attendait à voir surgir Damien avant l'heure où elle couchait le bébé. Mais lorsqu'elle reconnut le grondement familier de la voiture de sport, Stephen dormait depuis longtemps; le soleil avait disparu à l'horizon et les premières lumières de la grande cité s'allumaient une à une.

L'interminable attente l'avait rendue nerveuse. Elle résista difficilement à la tentation impérieuse de se précipiter dans le hall et d'ouvrir la porte en signe de bienvenue. Un craquement se fit entendre; il refermait le battant derrière lui. Alors seulement elle s'avança calmement jusqu'à l'entrée du salon où elle avait passé la soirée, le front appuyé contre la vitre.

— Je pensais vous voir plus tôt, prononça-t-elle.

Il laissa tomber son attaché-case, fourragea dans ses cheveux et fit quelques pas dans sa direction. Il la fixait d'un air tout à la fois incrédule et épuisé, dénouant machinalement le nœud de sa cravate. Instinctivement, elle fut sur ses gardes.

— J'ai subi une journée épouvantable, confia-t-il. Des montagnes de problèmes à résoudre, des dizaines de gens à voir, maintenant que mon père...

Il porta la main à son front et pénétra dans la pièce.

— Stephen est-il déjà au lit? demanda-t-il.

— Oui.

— Vous avez trouvé tout ce dont vous aviez besoin? ajouta-t-il en se retournant pour la dévisager. Je veux dire, le berceau et...

— Oui, oui, interrompit-elle. Mais où sont donc les domestiques? Je n'ai vu en arrivant ni Anika, ni les autres...

— J'ai fermé la maison à votre départ, il y a quelques mois. Ils sont partis. J'ai gardé Anika, sauf aujourd'hui.

Il se dirigea vers un bar portatif où l'on avait disposé des verres et des liqueurs.

— Il fait bon entrer ici murmura-t-il comme pour lui-même. C'est si tranquille... A l'autre villa, ces deux péronnelles d'Andrea et de Katina ne cessent de se quereller. Et en plus, j'ai dû m'occuper de Melina...

— Melina? répéta-t-elle.

Il débouchait une bouteille d'ouzo et s'en versait un peu dans un verre.

— Exactement, répliqua-t-il. Stephanos ne lui a absolument rien légué. Il l'a purement et simplement ignorée dans son testament. Je ne peux pas faire autrement que lui venir en aide. Voilà pourquoi je l'ai amenée à Athènes avec moi, ce matin.

Il but d'un trait.

— Avez-vous trouvé le temps de réserver des places pour moi et Stephen, demain? interrogea-t-elle. Tina m'a affirmé que vous vous en chargeriez.

— Je n'y suis pas allé, rétorqua-t-il.

Il s'approcha et scruta le visage de la jeune femme.

— Pourquoi donc? s'enquit-elle.

— Je...

Il s'arrêta, fronçant les sourcils d'un air sombre. Il se mordillait les lèvres, et, pour la première fois, elle lui voyait une expression embarrassée.

— J'ai cru, après la nuit passée... commença-t-il à voix basse, évitant son regard... que vous changeriez peut-être d'avis, et prendriez la décision de rester... au moins un moment.

— La nuit passée? fit-elle d'un ton insouciant, haussant les épaules et se perchant sur le bras d'un fauteuil. Qu'avait-elle donc de si particulier?

Dissimulant sa nervosité, elle guetta l'explosion de sa colère. Elle examinait son vernis à ongles sans oser lever les yeux vers lui.

— La nuit passée ne signifie rien pour vous, poursuivit-elle, pas plus que les autres nuits. Le seul aspect digne d'intérêt de notre relation, dans votre esprit, c'est l'aspect physique.

Elle prit une profonde inspiration et ajouta d'une voix tremblante :

— Tout ce qui compte, c'est vous et Melina, n'est-ce pas? Elle passe toujours en premier. Pour elle encore, vous m'avez laissée seule à Skios. Vous la traitez comme si elle était votre épouse, et moi comme une simple maîtresse... Au lieu du contraire!

Un silence pesant s'ensuivit, plus terrifiant qu'un déferlement de rage. L'atmosphère semblait électrique, et Teri entendait les battements de son cœur résonner à ses oreilles. Puis, Damien bougea. Il avança d'un pas lourd, presque menaçant.

— Expliquez-vous, ordonna-t-il en détachant ses mots. Je ne suis pas sûr d'avoir bien compris...

— Vous... vous êtes encore amoureux l'un de l'autre, balbutia-t-elle. Vous auriez souhaité vous marier...

Elle leva soudain le menton et lui jeta un regard de défi.

— Ne le niez pas! reprit-elle. Je l'ai aperçue dans vos bras, hier soir...

— Et vous vous êtes enfuie jusqu'au temple, coupa-t-il. Je vous avais entendue dévaler les marches...

— Vraiment? s'exclama-t-elle, stupéfaite.

— Oui. J'ai couru après vous, je vous ai appelée, mais vous aviez déjà disparu. Je suis retourné à ma villa, à tout hasard : personne. Au bout de plusieurs heures, j'étais fou d'inquiétude... Christo!

Sa voix monta d'un ton.

— Ne recommencez, jamais, Teri! intima-t-il. Ne partez plus sans me dire où vous allez...

Il enveloppa de ses mains le visage de la jeune femme, le leva vers lui et plongea son regard dans le sien.

— Vous m'entendez? murmura-t-il avec anxiété.

— Oui... souffla-t-elle, refermant ses doigts autour

des poignets qui la maintenaient. Mais... vous ne vous êtes pas encore expliqué au sujet de Melina.

— Le fait de se découvrir soudain déshéritée l'a bouleversée. Mon père avait déjoué les complots de Katina et d'Andrea pour le monter contre moi, elle le savait également. Saisi de pitié, j'ai voulu la consoler...

— La « consoler! » railla amèrement Teri, se dégageant et rejoignant l'angle de la fenêtre. Moi aussi, vous m'avez « consolée », au début. Et regardez ce qui en a résulté! Ou peut-être l'aviez-vous oublié...

— Je n'ai rien oublié. Votre présence si douce, si chaude, m'avait fait perdre la tête...

Il s'arrêta, lança une nouvelle interjection et vint se placer derrière elle. Il l'attrapa par les épaules, plus brutalement que jamais, et l'attira à lui en la serrant fermement. D'une main libre, il dégagea ses cheveux, bloqua sa tête contre son épaule et posa sans douceur sa bouche contre la sienne.

Il la relâcha au bout de quelques instants, haletante sous la sensualité vertigineuse du baiser. Il semblait y avoir déversé toute l'avidité de son désespoir... Elle ne parvint pas à retrouver son équilibre, trébucha et se serait violemment cognée contre la fenêtre s'il n'avait tendu une main pour la retenir. Il l'enlaça à nouveau d'une étreinte passionnée.

— Vous pouvez le constater, chuchota-t-il à son oreille. Maintenant encore, je ne peux pas m'empêcher... Chaque fois que vous êtes près de moi, je ressens le besoin de vous toucher, de me prouver à moi-même la réalité de votre existence. Par n'importe quel moyen, j'essaie d'attirer votre attention. Je voudrais vous obliger à me toucher à votre tour, à vous rendre consciente de ma présence... Vous l'avez dit à l'instant, la dimension physique de notre relation m'a retenu. C'était vrai au début, Teri. Je suis tombé éperdument amoureux de vous dès l'instant où j'ai posé les yeux sur vous, dans ce club, à Londres... Mais, déjà, il y avait autre chose. Sinon, je n'aurais pas désiré vous épouser avec autant de force. Je n'aurais pas souffert d'une telle jalousie lors de votre aventure avec Paul...

— Cette « aventure » n'existe que dans votre imagination, protesta-t-elle avec un geste de recul.

— Melina m'a pourtant affirmé...

— Elle a surpris Paul en train de m'embrasser, une fois ou deux.

— Deux fois de trop, grommela-t-il. Paul a lui-même inventé de toute pièce une relation entre ma belle-mère et moi. Et vous l'avez cru...

— Naturellement! J'avais remarqué vos conciliabules avec elle. Et la première nuit... celle de mon arrivée... vous êtes resté en sa compagnie jusqu'à l'aube. Notre nuit de noces!

— Erreur, corrigea-t-il vivement. Je tenais compagnie à mon père.

— Pourquoi me l'avoir caché, dans ce cas?

— Apparemment, cela vous laissait indifférente... Rappelez-vous : vous étiez si fatiguée! expliqua-t-il avec ironie.

— Cependant, vous n'avez jamais vraiment vécu avec moi, par la suite. Vous surgissiez de temps à autre, puis disparaissiez... comme un simple visiteur, conclut-elle dans un sanglot.

— J'étais convaincu de satisfaire à vos désirs, répondit-il contre son épaule. Je savais que vous m'aviez épousé pour l'argent, pour résoudre vos problèmes, et rien d'autre. Vous vous étiez exprimée très clairement à ce sujet, et je m'inclinais, espérant... espérant peu à peu vous amener à m'aimer, comme j'apprenais moi-même à le faire, à vous aimer...

Il la serra plus fort entre ses bras.

— Puis vous êtes partie, sans un mot d'explication. Pourquoi, Teri? Je n'ai pas encore compris. J'ai le droit de connaître vos raisons, à présent.

— Je vous les ai données dans ma lettre d'adieu.

— Données? Je n'y ai trouvé que quelques insultes!

— Mais... vous pouviez deviner, n'est-ce pas? vous vous doutiez bien...

Muette d'émotion, elle dissimula son visage contre la large poitrine.

— J'ai cru Paul... fit-elle d'une voix étouffée. Il vous accusait de m'avoir épousée pour obtenir un fils et empêcher ainsi votre père de vous déshériter. Et je n'ai pas pu le supporter... je commençais à vous aimer, mais je ne me l'avouais pas encore. Je l'ai compris en décidant de garder le bébé...

— *Theos!* s'écria-t-il. Vous aviez donc hésité?

Il la fixait d'un air horrifié. Elle hocha humblement la tête, craignant sa colère, mais il reprit avec tendresse :

— Petite idiote, irréfléchie, stupide enfant... Pourquoi ne l'auriez-vous pas gardé?

— Je... je voulais vous blesser, je suppose. Parce que j'étais persuadée... que vous ne m'aimiez pas.

— Je vous aimais! Je vous aime, s'exclama-t-il sauvagement, parcourant d'une pluie de baisers les lèvres, les yeux, les joues tendues vers lui. Hier soir, Teri... j'ai eu si peur en ne vous trouvant pas... Quand vous êtes revenue enfin, j'étais tellement ému, tellement heureux... que je n'ai pas pu m'empêcher... Me pardonnez-vous? Vous risquez, à nouveau, d'être enceinte...

La lumière se fit soudain dans l'esprit de la jeune femme. Maintenant, elle comprenait combien il tenait à elle. Il leur restait beaucoup à expliquer, à éclaircir, mais ils auraient à leur disposition tout le lendemain et les jours suivants, tous les mois et les années qu'ils passeraient ensemble. Pour l'instant, elle tenait à lui prouver son amour, à le rassurer; à le convaincre qu'elle l'aimait assez pour accoucher d'un nouvel enfant, même avec les difficultés d'une césarienne.

Damien la considérait avec anxiété.

— Ne craignez rien, dit-elle d'une voix douce et réconfortante. Le médecin ne m'a pas interdit d'avoir un autre bébé. Parfois, cela se passe même mieux pour le deuxième. Et j'en serais heureuse...

— Vous en êtes certaine? demanda-t-il intensément.

— Absolument.

Elle lui adressa un sourire provoquant.

— Nous verrons cela ce soir, après dîner... ajouta-t-elle. Je vais d'ailleurs préparer le repas dès à présent.

Elle glissa hors de ses bras et se dirigea vers la porte. Il la rattrapa et la saisit par la taille.

— Vous savez donc faire la cuisine? lança-t-il.

— Bien sûr!

— La cuisine grecque?

— Eh bien... j'essaierai.

Il la suivit pour l'aider. Ils s'amusèrent beaucoup à mijoter des plats typiques. Enfin seuls pour partager le quotidien, songea Teri. Enfin débarrassés d'une maisonnée bourdonnante comme ils en avaient connue jusqu'alors...

Lorsqu'ils s'assirent à table, à la lumière des bougies, elle exprima cette pensée à voix haute.

— C'est vrai, approuva-t-il. Quelle différence! Personne n'intervient entre nous, personne n'interfère pour nous distraire l'un de l'autre. A vrai dire, c'est un peu pourquoi j'espérais votre venue, aujourd'hui...

— « Espérais »? s'étonna-t-elle. Vous n'en étiez pas sûr?

— Avec vous, je ne suis jamais sûr de rien, rétorqua-t-il.

— J'en dirais autant de vous! se défendit-elle.

Il eut un sourire moqueur.

— Désirez-vous toujours rentrer à Londres? interrogea-t-il.

— Non... pas immédiatement, répondit Teri, déconcertée par la question. Voulez-vous donc... que je m'en aille?

— Pas immédiatement, répéta-t-il avec ironie.

Il dégusta une gorgée de vin et reprit un air intrigué.

— Je n'ai pas encore bien saisi les raisons de votre départ, la dernière fois. Pouvez-vous me raconter en détail ce que Paul vous a dit?

La jeune femme s'exécuta docilement. A la fin de son récit, Damien éclata d'un rire inextinguible.

— Damien! protesta-t-elle. Cela n'avait rien de drôle sur le moment, je vous assure! L'histoire paraissait parfaitement plausible. Une querelle entre vous et votre père n'avait pas de quoi surprendre. Il se montrait aussi déterminé que vous êtes entêté, selon vos propres paroles!

— Je sais, je sais. Mais dans l'ensemble, nous nous entendions à merveille. La phrase que Paul a surprise n'était qu'une taquinerie habituelle. Quant à la menace soi-disant proférée par Stephanos, de me déshériter si je n'avais pas de fils, ce jeune garnement l'a inventée de toute pièce.

— Dans quel but?

— Nous séparer, ma chère. Il a presque réussi, n'est-ce pas?

— Alors, ce mariage précipité, c'était une simple coïncidence?

— Oui. Je n'y avais jamais pensé avant. Pas même en venant régler les problèmes de votre père. Je n'aurais pas insisté pour me faire rembourser, vous savez. J'avais l'intention de tout annuler... et puis... j'ai posé les yeux sur vous. Paul vous a menti, Teri. Je vous ai épousée uniquement par amour.

— Pourquoi n'êtes-vous pas venu me chercher quand je suis partie? insista-t-elle.

— Parce que vous m'aviez ordonné de ne pas vous suivre! Vous refusiez à tout prix de me rencontrer...

Sa bouche prit un pli amer.

— Je suis tout de même doté d'un certain amour-propre, poursuivit-il. Après tous mes efforts pour vous prouver mon amour... Pendant un moment, j'ai cru m'être trompé à votre sujet. Peut-être couriez-vous seulement après ma fortune, comme toutes les autres? me suis-je dit.

Elle frémit légèrement. Il décrivait à peu de choses près ce qu'elle avait tenté de réaliser...

— Je m'en croyais capable, murmura-t-elle. Capable de tout prendre sans rien donner. J'essayais désespérément de ne pas vous aimer; mais durant tout mon séjour en Ecosse, je désirais tellement votre présence, malgré ma lettre d'adieu...

— Et moi, j'attendais un mot de vous, me suppliant de vous rejoindre, répondit-il. Cependant, les mois passaient et je ne recevais aucune nouvelle. J'ai commencé à réfléchir : sous quel prétexte pourrais-je vous voir? La maladie de mon père a fourni l'excuse idéale.

— A-t-il réellement réclamé ma visite? demanda Teri d'un air soupçonneux.

— Oui, de nombreuses fois. Je ne lui avais pas dit que vous étiez partie. Je refusais d'admettre un échec, je suppose... Ensuite, pour me décider enfin à gagner l'Ecosse, j'ai dû imposer le silence à mon amour-propre. Déjà, autrefois, j'avais aimé une femme sans espoir. Je m'étais juré que cela n'arriverait plus.

— Qui était-ce?

— Helga Sweiss, la femme de l'archéologue.

— Le fameux scandale! s'exclama-t-elle. C'était donc vous!

— J'ai failli m'enfuir avec elle. J'étais éperdument amoureux de cette blonde décidée, voluptueuse, soi-disant incomprise de son mari; elle m'avait fait perdre la tête. Et puis, Alex a débarqué à Skios...

— Continuez.

Il la couvrit d'un regard de tendresse.

— Alors, j'ai soudain perdu tout intérêt à ses yeux.

— Oh! s'écria la jeune femme, abasourdie. Elle n'a tout de même pas... avec mon père...

— Je l'ignore. Mais une telle jalousie me dévorait... Un soir, j'ai pris votre père à part, prêt à l'attaquer violemment. Il a ri de ma jeunesse, m'a calmé en me conseillant de me méfier d'elle. D'après lui, elle voyait surtout en moi l'héritier d'une immense fortune. D'ailleurs, après le départ d'Alex, elle a tenté à nouveau de me séduire.

— Comment avez-vous réagi?

— J'ai suivi l'avis d'Alex. Je me suis engagé sur l'un des cargos de mon père, bien déterminé à en apprendre le maximum pour pouvoir diriger la compagnie dans le futur. Dès le lendemain, je faisais route vers le Golfe persique.

— Et Helga? Qu'est-elle devenue?

— Je ne sais pas. Lorsque je suis rentré, ils avaient disparu depuis longtemps.

Il eut un grand sourire.

— Vous comprenez mieux, maintenant, toute ma reconnaissance envers Alex? Et pourquoi j'ai sauté sur l'occasion de l'aider financièrement. Par ailleurs... sans lui, je n'aurais jamais eu le bonheur de vous rencontrer.

— D'un autre côté, si vous ne lui aviez pas prêté tout cet argent, j'aurais eu beaucoup moins de mal à vous faire confiance, remarqua-t-elle. J'aurais mis en doute les calomnies de Paul à votre sujet... Nous nous sommes conduits comme des idiots, vous et moi! L'amour-propre nous a aveuglés. Quelle chance que vous soyez venu enfin me chercher, pour me ramener à Skios!

— Supposons que je ne m'y sois pas résolu, Teri. Seriez-vous venue de vous-même? M'auriez-vous appris la naissance de Stephen? questionna-t-il avec une légère angoisse.

— Je... je pense que oui, murmura-t-elle. Je n'avais rien prévu à l'avance... Ne prenez pas cet air-là, Damien! Je vous en supplie. Ne vous sentez pas blessé. Depuis la mort de David, j'avais toujours refusé de planifier l'avenir. Je vivais totalement au jour le jour, sans rien attendre ni de la vie, ni des gens. J'avais

153

bien trop peur d'être déçue. Je voulais m'éviter de nouvelles souffrances...

Elle tendit la main et la posa doucement sur la sienne.

— Essayez de me pardonner... de ne pas vous avoir mis au courant, pour l'enfant. J'étais terrifiée à l'idée que vous risquiez de me le prendre. Mais si je vous avais écrit, si je vous avais invité à nous rejoindre... Auriez-vous fait le voyage?

— Oui. Jusqu'au bout du monde, dit-il simplement, soulevant les doigts de la jeune femme pour y déposer un baiser.

— Alors, tout va bien, n'est-ce pas? reprit-elle. Nous nous serions retrouvés de toute façon. Nous aurions compris, d'une manière ou d'une autre... C'est l'essentiel.

— Oui, répéta Damien. C'est l'essentiel.

Il fit le tour de la table, l'aida à se lever et glissa son bras autour de ses épaules. Ainsi enlacés, ils se dirigèrent lentement vers le hall.

— Nous sommes ensemble, ajouta-t-il. Et je crois même, désormais... que je vais définitivement partager votre chambre. N'est-ce pas trop demander? Acceptez-vous de m'y recevoir, ma bien-aimée?

— J'accepte, murmura-t-elle avec un sourire heureux.

Toujours enlacés, ils s'engagèrent dans l'escalier.

Étude du LION

par Madame HARLEQUIN

(23 juillet-22 août)

Signe de Feu
Maître planétaire: Soleil
Pierres: Diamant, Topaze
Couleurs: jaune, or
Métal: Or

Traits dominants:

Fierté, loyauté
Tempérament de feu, abondante vitalité
Se dévoue sans compter
pour les causes qu'il défend

LION

(23 juillet—22 août)

Les Lionnes se mettent facilement en colère. On sait aussi que la passion physique ne leur est point inconnue. Mais si elles sont tout feu tout flamme, il ne s'ensuit pas toujours pour leur partenaire... des brûlures! Au contraire, en disant exactement ce qu'elles pensent, elles ont *tout* dit: l'incident est clos. Ce ne sont pas des femmes qui se plaignent!

Teri a su impressionner le difficile Damien Nikerios par sa franchise, son honnêteté, son grand courage. C'est bien volontiers que notre Lionne va se domestiquer pour un tel homme!

Collection Harlequin

Les chefs-d'oeuvre du roman d'amour

Recevez *chez vous* 6 nouveaux livres chaque mois... et les 4 premiers sont GRATUITS!

Associez-vous avec toutes les femmes qui reçoivent chaque mois les romans Harlequin, sans avoir à sortir de chez elles, sans risquer de manquer un seul titre.

Des histoires d'amour écrites pour la femme d'aujourd'hui

C'est une magie toute spéciale qui se dégage de chaque roman Harlequin. Ecrites par des femmes d'aujourd'hui pour les femmes d'aujourd'hui, ces aventures passionnées et passionnantes vous transporteront dans des pays proches ou lointains, vous feront rencontrer des gens qui osent dire "oui" à l'amour.

Que vous lisiez pour vous détendre ou par esprit d'aventure, vous serez chaque fois témoin et complice d'hommes et de femmes qui vivent pleinement leur destin.

Une offre irrésistible!

Ce que nous vous offrons est fort simple. Vous n'avez qu'à remplir et poster le coupon-réponse. Vous recevrez, *sans aucune obligation de votre part,* quatre romans Harlequin tout à fait *gratuits!*

Et nous vous enverrons chaque mois suivant six nouveaux romans d'amour, au bas prix de $1.75 chacun (soit $10.50 par mois), plus de légers frais de port et d'emballage.

Mais vous ne vous engagez à rien: vous pourrez annuler votre abonnement à tout moment, quel que soit le nombre de volumes que vous aurez achetés. Et, même si vous n'en achetez pas un seul, vous pourrez conserver vos 4 livres gratuits!

Vous avez donc tout à gagner, en profitant de cette offre de présentation au merveilleux monde de Harlequin.

Oui, 6 romans passionnants chaque mois...n'en manquez pas un seul!

En vous abonnant à la Collection Harlequin, vous êtes assurée de recevoir chaque mois six nouveaux titres inédits — et de vous constituer ainsi une précieuse bibliothèque de chefs-d'œuvre de la littérature romantique.

Vous passerez des moments agréables, en compagnie d'auteurs comme Violet Winspear, Roberta Leigh, Kay Thorpe, Margery Hilton et d'autres écrivains réputées, qui ont fait des romans Harlequin un succès sans précédent dans le domaine de l'édition.

Votre abonnement vous permet donc de recevoir tous les mois, à votre porte et sans que vous ayez à vous déranger, une précieuse source d'évasion en notre époque agitée.

6 des avantages de vous abonner à la Collection Harlequin

1. Vous recevez 6 nouveaux titres chaque mois. Vous ne risquez pas de manquer un seul des volumes de vos auteurs Harlequin préférés.

2. Vous ne payez que $1.75 chacun (soit $10.50 par mois), plus de légers frais de port et d'emballage.

3. Vous pouvez annuler votre abonnement à tout moment pour quelque raison que ce soit... ou même sans raison!

4. Vous n'avez pas à sortir de chez vous: de nouveaux volumes vous sont livrés par la poste chaque mois.

5. "Collection Harlequin" est synonyme de "chefs-d'œuvre du roman d'amour": vous ne risquez pas d'être déçue.

6. Les 4 premiers volumes sont tout à fait GRATUITS: ils sont à vous, même si vous n'achetez pas un seul volume de la collection!

✂

Bon d'abonnement

à envoyer à: COLLECTION HARLEQUIN, Stratford (Ontario) N5A 6W2

OUI, veuillez m'envoyer *gratuitement* mes quatre romans de la COLLECTION HARLEQUIN. Veuillez aussi prendre note de mon abonnement aux 6 nouveaux romans de la COLLECTION HARLEQUIN que vous publierez chaque mois. Je recevrai tous les mois 6 nouveaux romans d'amour, au bas prix de $1.75 chacun (soit $10.50 par mois), plus de légers frais de port et d'emballage.
Je pourrai annuler mon abonnement à tout moment, quel que soit le nombre de livres que j'aurai achetés. Quoi qu'il arrive, je pourrai garder mes 4 premiers romans de la COLLECTION HARLEQUIN tout à fait GRATUITEMENT, sans aucune obligation.
Cette offre n'est pas valable pour les personnes déjà abonnées.
Nos prix peuvent être modifiés sans préavis.   Offre valable jusqu'au 31 juillet 1982.

Nom _____ (en MAJUSCULES, s.v.p.)

Adresse _____ App. ___

Ville _____ Comté _____ Prov. ___ Code postal _____

BP234